Le Harem

FRÉDÉRIQUE HÉBRARD | *ŒUVRES*

Frédérique Hébrard

Le Harem

Éditions J'ai lu

à la lumineuse mémoire d'Irène

الحريم

L'alpha

Bruit ténu...
Bruit d'avant la lumière...
Tintement, froissement, mise au monde du jour, chaque matin je suis réveillée par les chèvres que Clytemnestre mène dans la montagne.

Vers quelle nourriture les guide-t-elle dans ce désert de pierre?

Suivre le troupeau et sa bergère aux jupes noires? Violer les mystères? Je n'ose brusquer la révélation. Et je reste, éblouie, au seuil de la Grèce et de ce qu'elle m'accorde.

Phos, petite île sans marbres, gardienne de sources invisibles, es-tu la « petite île escarpée, impraticable aux chevaux, bonne pour l'élevage des chèvres », que rencontra Ulysse?

Phos, Lumière, patrie de ma maison aux terrasses éclatantes, c'est ici, à ce carrefour de ma vie, ici seulement que je pouvais trouver la force d'attendre la réponse d'aujourd'hui.

De ce balcon chaulé, creusé dans le roc, serré par un figuier et une vigne, je guette l'horizon.

Voile blanche? Voile noire?

La mer est vide comme un écran bleu. Les petites barques ne comptent pas. Le bateau de Théodore ne rentrera que ce soir.

A ce moment-là, je saurai.

La réponse sera tombée, oracle glacé ou rayonnant, de la bouche d'ébonite...

Malgré la chaleur du printemps, une marée d'angoisse me recouvre de sa froide écume. Je n'ose bouger, comme si le moindre geste pouvait me faire basculer dans l'insoutenable, le plus léger déplacement d'air balayer l'espoir.

L'immobilité de l'attente me fait revoir ma vie comme si elle était parvenue à son terme tandis que monte vers moi, venant des limites de la mémoire, un défilé d'images qui furent miennes.

Un manteau vert.

Le seul souvenir qui me reste de ma mère.

Indice fragile.

Mais aujourd'hui encore, je m'y accroche de toutes mes forces. Cette tache verte dans le flou des souvenirs de petite enfance, c'est toi ma mère, c'est ta parure terrestre.

« Elle avait un manteau vert, ma maman ? » ai-je demandé un jour à Souveraine. Je devais avoir dix ans.

Souveraine rangeait des pains sur le présentoir de cuivre de la boulangerie, elle s'est arrêtée et m'a regardée :

« Comment peux-tu te souvenir de son manteau ? a-t-elle dit, tu étais si petite... »

Toute petite. Mais je sens encore mes ongles agrippant l'étoffe comme s'ils entraient dans le vif même de la couleur pour la retenir, je m'entends hurler... cris de souris. Souveraine m'entraîne, se retourne vers toi : « Partez, Marie, soyez sans crainte ! » – Elle m'embrasse, elle sent le bon pain – « Ne pleure pas, maman va revenir ! »

Ce fut son seul mensonge.

Maman n'est pas revenue.

Quelle idée aussi d'avoir une crise d'appendicite au milieu d'un bombardement.

6 août 1944, 250 morts à Pauillac. Avec maman ça fait 251. Mais pour elle la mort n'est pas venue du ciel. On n'a jamais vraiment su si ça s'était passé avant, pendant ou après l'opération. Je n'étais pas en âge de demander des comptes et, quand mon

père est revenu, j'ai fait comme si j'avais tout oublié.

Je venais d'avoir trois ans et j'étais amoureuse.

Souveraine et son mari le boulanger avaient un petit garçon. Je n'imaginais pas qu'une créature aussi belle que Jean pouvait exister. A ce moment-là, il avait le double de mon âge. Il m'aima. Je l'aimai. Il me donna un baiser, posant ses lèvres à même mes larmes comme un sceau dans de la cire liquide. Cette nuit-là, nous dormîmes dans les bras l'un de l'autre, tout au fond de la cave, couchés sur des sacs qui sentaient la farine et le grain.

Promis.

Cette nuit-là, la nuit sanglante du 6 au 7, son père a boulangé comme pour des noces. Et il disait, tandis que les bombes tombaient sur les cuves de Jupiter mais aussi sur les vignes, sur les chais, sur les maisons et sur les gens :

– Il ne faut pas que le monde manque de pain.

Cela voulait humblement dire qu'il souhaitait servir sa pratique le lendemain comme chaque jour, mais nous nous sommes souvent répété cette phrase, au cours de la vie, en lui découvrant chaque fois un sens plus universel.

« Il ne faut pas que le monde manque de pain. »

Nous n'avons ni la force ni la foi du boulanger et nous nous demandons parfois ce que nous avons fait de l'héritage invisible que nous préparaient les gens de notre enfance.

Je suis née au milieu des vignes dans un château qui n'existait et n'existe encore que sur les étiquettes de nos bouteilles.

Château-Nogarède.

Cru Bourgeois Supérieur (Clas. 1932).

Château? Une maison mal fichue où il fait trop chaud l'été, trop froid l'hiver, une maison objectivement laide malgré le délicieux accord conclu au levant entre la terrasse de brique, les lauriers-roses et le mimosa, là où commence le bois de pins et où l'unique lilas fait ses huit jours par an. C'est du reste le seul endroit que l'on ose photographier. La maison, on évite. Objectivement laide. Et pourtant, il faut reconnaître qu'elle a de rares dispositions pour le bonheur.

Ce qui ne va pas sans mérite car lorsque mon père est revenu après le nettoyage du Verdon et la libération de Royan, ramassant au passage un pain et une petite fille chez son ami le boulanger, il n'avait plus de femme, plus de cave, pas d'argent et des herbes de fer étranglaient les ceps de sa vigne.

Heureusement, il y avait Karl.

Karl était allemand comme son nom l'indique et papa l'avait connu au maquis, ce qui prouve qu'impossible n'est pas français.

Aujourd'hui encore j'ignore tout du passé de Karl.

Quel âge a-t-il? Papa approcherait des quatre-

10

vingts, Karl doit être un peu plus jeune. Aucun d'entre nous ne lui a jamais posé de questions. Même pas pour connaître sa date de naissance. Nous savions qu'il s'était engagé dans la Légion étrangère avant la guerre et qu' « à la Légion on ne pose pas de questions ». Sufficit. D'ailleurs, Karl nous était devenu si vite essentiel que, même si nous avions découvert qu'il avait fui l'Allemagne après avoir égorgé plusieurs personnes, nous ne l'en eussions pas moins aimé.

Ce qui est sûr, c'est que personne, chez nous, ne lui a appris à soigner la vigne. Il savait.

Un jour mon père lui en a parlé devant moi. Le temps avait passé, je crois que j'étais déjà mariée. Il lui a dit :

– Tu sais, Karl, j'ai repris espoir un matin de novembre l'année de notre retour, ce matin-là – il y avait du brouillard – je t'ai trouvé au bout de la rège de Canterane. Tu t'étais mis à tailler la vigne et j'ai vu que tu tirais les bois...

Karl a souri à de mystérieux souvenirs. Vin du Rhin ? Vin de Moselle ? Treille sur le Neckar ? Vendanges en Wurtemberg ? Sur la surface de la terre, partout où elle s'accroche, tenant la planète dans les mailles d'un filet invisible, la vigne parle une langue universelle, comme la musique.

Bénédiction que la rencontre de ces deux taciturnes. L'un sans l'autre, ils étaient perdus. Mais ils sont ensemble le jour du retour et ils vont être réunis par la paix comme ils l'ont été par la guerre ; ils sont ensemble dans un domaine à l'abandon, dans une maison où nulle femme ne les attend, face à un ouvrage démesuré, face à une petite fille qui a déjà refermé la porte de l'armoire aux souvenirs sur un manteau vert, une petite fille qui attend tout de ce père oublié et de cet étranger inconnu. Et qui en recevra tout dans ce château de papier irrésistiblement enclin au bonheur.

Tout à l'heure, le téléphone a sonné. Bien trop tôt pour que ce soit la nouvelle, mais je me suis mise à trembler... J'ai respiré en entendant la voix de Karl.

« Beaucoup d'abeilles! » m'a-t-il dit.

Au bout du fil, dans le frémissement des ondes, il me semblait entendre bourdonner la vigne en fleur. Notre vigne.

Mais Karl ne m'appelait pas pour me parler des abeilles ni de la vigne. Dans ce français pathétique qui est celui des enfants et des étrangers, il m'a dit :

« Je pense à toi absolument. »

Puis il a raccroché.

Il a dû traverser la cuisine en faisant bouger les tomettes disjointes, s'arrêter devant la grande cheminée où la braise couve à longueur d'année sur la dalle de granit plate et basse et regarder le feu comme nous l'avions si souvent regardé ensemble en écoutant l'horloge de parquet battre la mesure. Mercadier à Podensac. Gardienne des heures, cœur domestique, patiente comptable du temps, toi qui vas du même pas pour la joie et pour la peine, tu sais mieux que moi l'histoire de la résurrection de Nogarède. Je t'aimais tant que j'aurais voulu m'enfoncer à travers le paysage peint sur ton gros ventre. Ta respiration me rassurait. C'était celle de la maison.

Le soir, quand il faisait beau, nous allions nous asseoir sur le perron, à même la pierre, et, en m'endormant doucement dans les bras de mon père, je voyais les vignes se métamorphoser en vagues et moutonner sous le vent, crêtes vertes, se faisant et se défaisant jusqu'à l'infini, tandis que, remontant du gouffre de l'éternité, une heure tombait sur nous, cruelle puisqu'elle était toujours suivie de cette exclamation :

« Il est si tard? »

Dès que Jean avait eu une bicyclette, il était devenu le deuxième enfant de mes pères. Il arrivait, les jours de vacances, portant un pain chaud, parfois une alose ou des palombes que Souveraine avait placées dans ses sacoches. Parfois c'étaient des cèpes vernissés arborant un brin d'herbe comme une plume à leur chapeau, ou des mûres dans un nid de feuilles de châtaignier. Et ce qu'il déposait sur la table de la cuisine semblait dire :

« Je suis la saison. »

Karl avait préparé des dampfnudeln ou de sombres pâtisseries à la cannelle que nous étions les seuls enfants du Médoc à connaître et à réclamer par leurs noms, et – tout petits encore – nous buvions du vin. Prosit! Les pères nous versaient sans malice des doses qui eussent réjoui un gendarme mais qui ne parvinrent jamais à nous torchonner. Peut-être parce que chaque lampée était initiatique et s'assortissait de révélations suivies d'interrogatoires.

« Il faut grandir avec le vin », disait papa, et il nous apprenait à boire avec autant de ferveur qu'un cavalier qui met son fils à cheval pour fêter la sortie de sa première dent.

Nous fîmes le tour des châteaux du Bordelais rien qu'en levant nos verres dans la cuisine de Nogarède, le nez premier servi, mâchant le vin comme maîtres de chais, conviés à cracher quand une bouteille était bouchonnée ou éventée, sévèrement tancés quand, d'un dimanche sur l'autre, nous confondions un Gruaud-Larose et un Talbot et, plus tard, quand nous nous montrions incapables, ayant trouvé le cru et le propriétaire, de deviner l'année les yeux fermés.

J'ai oublié l'essentiel :

Notre vin est bon.

Jean était de plus en plus beau, si beau que les dames ne pouvaient s'empêcher de caresser son visage quand il passait à leur portée dans la boulangerie. Il ne semblait pas s'apercevoir que je devenais de plus en plus moche en grandissant. Et quand je dis « en grandissant », je sais ce que je veux dire. Entre sept ans et treize ans j'ai parcouru 57 centimètres. En hauteur. Un Golgotha! J'ai été une communiante gigantesque qui culminait à 1,73 m. C'est une altitude épouvantable pour une petite fille, si j'ose user de cette litote. Au cours de l'été 55, j'atteignis les sommets de l'horreur : je dépassais Jean! Il me rattrapa au Noël suivant, me distança définitivement le jour de Pâques et nous en fûmes si heureux que nous nous embrassâmes sur la bouche dans le petit bois de pins. Les variations émouvantes de la toise et l'éloignement dû à nos études respectives nous avaient fait prendre une nouvelle conscience l'un de l'autre. Après ce baiser, il s'empara de mon visage, le garda entre ses mains très douces et me dit :

– Un jour, je te donnerai un bel enfant...

Mais je vais trop vite, je brûle des gares.

Mon premier Sauternes un jour d'été.

Cérémonie lumineuse. J'ai dix ans.

Papa me montre la bouteille en robe couleur du temps. Château-Salavès 41, l'année de ma naissance.

« Comme ça, tu n'oublieras jamais. »

Il l'ouvre avec tendresse comme si la moindre brutalité pouvait la faire exploser. Il m'explique le miracle, la patience, la pourriture noble, Karl a même préparé des photos. « Regarde, Kätzchen! » Ils m'apprennent à sentir le vin. Comme eux. Papa m'en fait saluer la transparence dorée en élevant son verre tel le vase du Graal.

C'est beau.

Nous buvons pieusement.

Dans le silence, Mercadier à Podensac bat la mesure. C'est Mozart qui dirige...

Et soudain je rote mieux qu'un portefaix.

« Faites esscuse! » dis-je avec l'accent allemand, et j'ajoute :

« T'schuldigung! » avec l'accent bordelais.

Puis je me suis mise à rire avec une infinie vulgarité, mon verre de soleil à la main.

Papa et Karl se sont regardés avec consternation. Quelque chose se déroulait de travers dans la métamorphose de leur chenille bien-aimée. Seraient-ils capables de faire de moi une demoiselle? L'absence de femmes dans notre paysage quotidien n'allait-elle pas m'amputer des plus charmantes qualités de mon sexe? Il fallait agir, et vite, avant que je ne me mette à fumer la pipe, à chiquer, à cracher à dix pas et, qui sait? à pisser tout debout. Aussi, un mois plus tard, endimanchés, bouleversés, sans voix, ils m'accompagnent tous les deux au cours Massabielle, se disputant pour porter ma petite valise de pensionnaire, et se sauvent comme des voleurs après m'avoir déposée dans l'entrée.

« Nogarède, ont dit les voisins surpris, vous, un libre penseur, vous avez mis votre fille chez les sœurs? »

« Oui. Je l'ai fait. »

« Mais pourquoi? »

« Parce que je ne les aime pas », a répondu mon père, farouche.

Je ne sais s'il avait raison, mais ce que je sais, c'est qu'il avait ses raisons. En ce qui me concerne, je ne le remercierai jamais assez d'avoir voulu me faire connaître le contraire de lui-même pour m'éviter d'embrasser le monde d'un regard borgne. Mais ce jour-là, en plein trimestre, ma valise à mes pieds, je suis bien loin de prévoir le positif de cette entrée tardive. Dans le parloir, à côté d'une plante verte lugubre, une autre petite fille, œuf du jour comme moi, pleure sans retenue. Elle a deux grandes nattes pain brûlé, une figure ronde, de longs cils brillant de larmes. Et pas de mouchoir.

Je lui tends le mien.

– Merci! Oh! merci! sanglote-t-elle.

Son chagrin me gagne. Elle me repasse mon mouchoir, je le lui repasse, elle me le repasse et c'est là, en plein essorage, qu'est arrivée la sœurrr.

Sœur Agnès de la Compassion. Sœur Rugby, comme l'appelaient les filles. Elle était née dans un petit village près de Tarbes, ils étaient treize enfants et tout de suite ce fut pour elle la mêlée. Elle sort des profondeurs abyssales de sa poche secrète un mouchoir du format d'une petite nappe, nous mouche, nous secoue, nous pousse vers l'escalier d'un coup de genou dans le derrière, nous soulage de nos valises comme de deux enveloppes vides et rocaille :

– Ne vous rrrendez pas malades! Vous la rrreverrrez votrrre mèrrre!

– Ma mère est morte! crie la petite fille aux longs cils, et je crie plus fort :

– Ma mère aussi!

La sœur demi de mêlée en a manqué son essai. Elle a dit :

– Pauvrrres petitounes... avec tant de conviction que nous avons cru que nous étions tombées dans la maison du Bon Dieu, ce qui était un jugement prématuré.

Nous avons repris notre souffle en faisant nos lits et séché nos larmes en mangeant la tartine de beurre avec du sucrrre que Sœur Rugby nous avait apportée en douce comme une petite caresse timide. C'était le consolamentum qu'elle offrait à toute élève en détresse, fût-ce à la veille du bac. Elle avait raison, le sucrrre avait le pas sur les larmes.

Puis nous avons revêtu le fameux uniforme à rubans noirs, sans lequel il n'était pas question de se présenter devant les maîtresses et, en bouclant nos hideuses ceintures, nous apprîmes que nous n'avions pas seulement perdu nos mères mais Louis XVI, et que nous porterions son deuil tout le temps de nos études.

– Comment t'appelles-tu?

– Gabrielle. Et toi?

– Turcla.

– Comment?

– Turcla.

– ... c'est ton grand nom ou ton petit nom?

– Mon petit.

– Et ton grand?

– Salavès-Catusseau, dit-elle timidement.

Je ne savais pas encore que ce grand nom en était

un très grand mais je le connaissais pour d'autres raisons.

– Tu fais du vin toi aussi! m'exclamai-je joyeusement. J'en ai bu de ton vin! Du blanc et du rouge! C'est du bon!

– Merci, oh! merci! dit Turcla de nouveau au bord des larmes.

Turcla. Turcla de Salavès-Catusseau.

Quel éclat de rire dans la classe, le jour du premier appel. La maîtresse a tapé le bureau de sa règle. Elle a dit :

– On se tait... On prend son livre d'Histoire de France, on l'ouvre à la page... 47... On y est? Bon. Madeleine Delpart, voulez-vous nous lire la légende sous l'illustration?

Comme lectrice, Madeleine Delpart n'était pas une affaire, mais le silence s'est quand même fait quand elle a ânonné de sa voix niaise :

– « Scène des Croisades d'après une toile d'Hippolyte Tubœuf. Collection privée. »

« Turcla de Salavès-Catusseau recevant le léopard apprivoisé que Nour ed-Din, sultan des Seldjoukides, lui offre en hommage de grand dol après la mort du comte Foulques. »

« Celle qui fut nommée Dama de Lutz, Dame de Lumière, par tout le Moyen Age est une figure légendaire de notre Histoire et de la poésie courtoise. »

– Merci, mademoiselle, a dit la maîtresse.

C'était une jeune maîtresse laïque, une demoiselle aux cheveux tirés et aux joues lisses; elle nous regarda toutes, puis elle s'assit sur le bord de son bureau, ce qui nous parut d'une hardiesse inouïe, et nous dit :

– Un nom. Qu'est-ce que c'est qu'un nom? C'est ce qui est posé sur nous comme une étiquette. C'est ce qui nous fait lever la tête quand quelqu'un le prononce. C'est ce qui nous fait répondre « présent » à chaque question de la vie. C'est ce que nos parents nous ont transmis et que nous allons faire vivre à notre tour. Un nom, c'est très beau. Durand, Lévy, Fournier, Laporte... Salavès-Catusseau aussi. Personne ne saura jamais si Dama de Lutz a vraiment existé, si c'est vraiment elle qui a écrit : « Plus est en moi. » Mais si vous vous promenez à travers les graves, vous rencontrerez dans les vignes une pierre levée sur laquelle vous pourrez lire le nom de Martine de Salavès-Catusseau qui fut victime des Allemands pendant les derniers jours de l'Occupation. Une jeune femme qui a vraiment existé, elle, et qui était la maman de votre camarade. Vous voyez, il n'y a pas de quoi rire, vous n'en avez du reste plus envie depuis que vous savez. Je crois que dans une maison où l'on porte le deuil de Louis XVI, il était bon de vous mettre au courant. Deuil que je trouve fort sympathique puisque je suis moi-même fille de serrurier.

Elle était merveilleuse, Mlle Lafosse, elle parlait, elle allait... et 27 filles l'écoutaient bouche bée. 27 filles qui l'auraient suivie, comme dans « Hans le Joueur de Flûte », jusqu'aux abîmes si elle l'avait décidé. 27 filles folles de leur maîtresse aux joues lisses et aux cheveux tirés. 27 filles qui la voulaient partout, dans tout, pour tout. 27 filles pour qui, avec Mlle Lafosse, la visite commentée d'une conserverie de maquereaux prenait des allures d'escapade en Terre promise. 27 filles dont aucune ne lui était rebelle ou félonne. Pas même les connes.

Hélas.

Car ce qui fit la perte de Mlle Lafosse, ce fut l'ampleur de son succès.

Un jour on ne la vit plus.

« Trop d'emprise sur les enfants », entendit Marguerite Camberra qui écoutait aux portes avec génie. C'est elle qui nous apprit pourquoi la belle Julia Langoiran-Testut avait été renvoyée, c'est elle qui prétendit que « c'était Robespierre qui avait étouffé l'affaire des deux terminales surprises dans le même lit ».

Marguerite Camberra, je l'ai rencontrée dans l'avion de Bordeaux il y a trois ou quatre ans. Elle n'a rien perdu de sa laideur chafouine ni de son talent de crocheteur. Je la trouvai si peu différente de l'ingrate adolescente qu'elle fut que j'ai cru qu'on allait faire l'appel dans l'avion comme en classe. A peine s'était-elle assise à côté de moi que ça démarrait sec :

– Est-ce que tu as su pour les Chose? Es-tu au courant du divorce des Machin? Tu sais ce qui se cache derrière la faillite des...

A la verticale de Limoges, épuisée, j'ai fait semblant de dormir, elle m'a réveillée dix minutes plus tard pour me dire, rayonnante :

– Devine ce que j'ai surpris en allant aux toilettes... je te le donne en mille!...?... l'hôtesse! avec le co-pilote!

Du génie!

Un instant j'ai espéré qu'elle pourrait me donner des nouvelles de Mlle Lafosse. Mais non.

– Elle a quitté Bordeaux, dit-elle lugubrement comme si elle refermait un obituaire.

Puis elle ajouta, pleine de sous-entendus juteux :

– On n'a jamais vraiment su ce qui s'était passé...

Ça m'étonne de toi, Marguerite.

Pourtant c'est vrai. On n'a jamais su.

Une remplaçante fade, les grandes vacances et l'entrée en secondaire nous firent écran de fumée et nous permirent d'oublier la fille du serrurier.

Et puis il allait falloir, désormais, compter avec Robespierre.

Notre professeur principal, une des rares religieuses enseignantes. Sœur Marie du Rosaire.

Robespierre.

Qui l'avait surnommée ainsi?

Par la cousine de Madeleine Delpart nous savions

que, six ans plus tôt, on l'appelait déjà comme ça.

Nous étions trop petites pour savoir qu'elle était très belle. Elle était blanche comme seules les religieuses peuvent l'être et pâlissait encore à la moindre faute de français. Des mains admirables. Une culture immense et sans joie. Cruelle.

Était-elle cruelle ou désespérée?

Quelle différence avec Sœur Rugby, ses bourrades, ses coups de genou dans nos derrières et ses tartines de beurre au sucrrre!

Robespierre était au sommet de la pyramide, elle détenait les clefs du Savoir et du Monde auquel elle avait renoncé (pourquoi, ma Sœur, pourquoi?) et auquel elle nous préparait sans faiblesse. Ses longues robes déplaçaient l'air des couloirs avec une majesté qu'elle ne partageait avec aucune autre sœur. Surtout pas avec Sœur Rugby qui était la plus humble servante de la maison. La tendre brute faisait les tisanes, les sucrait de miel, recousait un bouton, veillait les fiévreuses, secouait le thermomètre, posait les cataplasmes. Elle régnait sur l'infirmerie en rocaillant au milieu d'une collection de Saintes Vierges à crier au secours. Les imaginations les plus déréglées s'étaient donné rendez-vous pour composer une procession capable de faire perdre ses certitudes à Jeanne d'Arc elle-même. On y trouvait tous les modèles. La Vierge phosphorescente, la Vierge lumineuse, la Vierge musicale, la Vierge qui disparaissait sous la neige quand on la renversait! La Vierge en pleurs et en plastique mauve de Notre-Dame-de-la-Salette! La Vierge avec piles qui donnait l'heure!

Lorsque je retournais à Nogarède, mon père était heureux parce que je ne mangeais plus avec mes doigts et, en même temps, il se sentait coupable d'avoir livré sa fille à la calotte.

– Elles ne vous bourrent pas trop le crâne?

Nullement préparée à la Révélation, que ce soit par la Foi ou par l'Habitude, j'avais abordé l'éducation religieuse comme une matière inscrite au programme. J'allais à la messe comme à un cours. J'y étais attentive sans m'y sentir concernée. Un peu étonnée de voir le visage de Turcla se modifier dans la prière. Comme si elle s'évadait pour gagner un pays où je ne pouvais la rejoindre. Les voix bêlantes de certaines sœurs nous parlant du bon Jésus, du bon saint Joseph, de la bonne Sainte Vierge et éventuellement du bon Pierre Pouget, apôtre de Normale Supérieure, ne semblaient pas l'affliger comme elles m'affligeaient.

Moi, dans cette atmosphère de sacristie bien cirée, fleurie de lys et d'arums, je crois que j'aurais implosé si l'abbé Pousse n'avait pas été là. Ce Catalan démesuré qui m'avoua en confession qu'il chaussait du 47 me sauva de l'ennui et je mettais un perfide point d'honneur à être la première au catéchisme.

Sachant de qui j'étais la fille, l'abbé n'était dupe de rien. Mais la bonne odeur de fagot qui flottait autour de mon uniforme de deuil ne lui donna jamais la tentation d'être injuste.

— Tu as de bien bonnes notes en instruction religieuse, me dit un jour mon père sur le ton qu'il aurait eu pour me dire : « Je ne veux plus que tu me ramènes un carnet comme ça! »

— C'est parce que je veux faire plaisir à l'abbé Pousse...

Papa et Karl me regardaient, soupçonneux.

— Je l'aime, l'abbé Pousse.

— Tu l'aimes?

— Oui. Il nous fait rire. Il raconte bien. Et puis, c'est un homme. J'aime les hommes.

Cette confidence les rassura. Tant que j'aimerais les hommes, je ne risquerais pas de renoncer au siècle.

Deux petites filles très heureuses.

Très heureuses d'attendre la même voiture au milieu de l'impatience du parloir un samedi matin :

Je suis invitée à Catusseau.

Je n'imagine rien.

Qu'aurais-je pu d'ailleurs imaginer en dehors du plaisir à partager?

Quand un monsieur en gris avec de drôles de bottes articulées que j'appris, par la suite, être des leggings entra avec beaucoup de distinction, une casquette coincée sous le bras gauche, je me dis :

« On voit tout de suite que c'est un duc! Quelle allure! »

– Bonjour, Basin, dit Turcla, je vous présente mon amie Gabrielle.

– Bonjour, mesdemoiselles, dit Basin en s'inclinant sans pour autant nous tendre la main.

Il avait pris nos valises; nous précédant vers la sortie, il rangea les bagages dans le coffre, nous ouvrit la portière, remit sa casquette sur sa tête et s'installa au volant.

Je n'avais jamais vu une voiture aussi belle, aussi grande. Le duc l'avait offerte à sa jeune femme en 37. La Delage semblait neuve. Quatre années passées dans l'ombre d'une grange, sur des cales, et dans l'odeur du camphre et de la paille, odeurs qu'elle ne perdit d'ailleurs jamais tout à fait, lui avaient permis d'éviter tous les dangers que l'Occupation pouvait réserver à de tels bijoux. Je crois qu'elle sommeille encore dans les anciennes écuries du domaine, comme dans un hypogée de la vallée des Rois, prête à démarrer au quart de tour pour rouler le long des vignes, s'arrêter sous le perron le temps d'une photo ou d'une salve d'applaudissements, longue limousine brun Victoria émergeant d'un passé proche et à jamais révolu.

C'était une double conduite intérieure et la vitre était tirée entre le siège de cuir noir du chauffeur et le vaste compartiment capitonné de drap isabelle soutaché de passementerie où nous avions pris place face à d'insolites strapontins. Je me vis, dans un miroir de coin, et je crus entrer dans une nouvelle dimension quand nous commençâmes à rouler sans bruit.

C'était la première fois que je me hasardais au sud de Bordeaux.

L'aventure.

Je découvrais une nature différente, moins stricte que la sage partition des ceps de mon Médoc, plus chevelue, plus fantasque. Heureusement, la présence de la vigne me rassurait.

Soudain, ce fut la forêt. La grande forêt inconnue. La forêt qui protège et retranche. La forêt que je n'avais encore rencontrée que dans les contes. *La forêt*. Mon petit bois de pins, avec sa touffe de lilas à la boutonnière, pouvait aller se rhabiller. La Delage quitta la route pour s'engager dans une allée où les arbres se rejoignaient en voûte sombre et roula jusqu'à la grille ouverte en notre honneur.

Et là, au bout d'un tapis de pelouses et de fleurs, gardant l'infini des vignes comme un homme d'armes défend l'absolu de la Vertu, énorme, féodal, romanesque et dément, Catusseau.

C'était bien le même que sur les étiquettes, mais comme il était grand!

Nous nous sommes arrêtés auprès des ruines de ce qui avait été un portail en ogive. La tradition veut que chaque visiteur qui se rend pour la première fois à Catusseau pose sa main sur le blason de pierre où est inscrite la devise de la maison pour être adopté par le léopard des armes.

« Je suis la vigne. »

Depuis que Salavius, citoyen romain venu de la Narbonnaise, enracina sa maison et le premier cep dans la gangue argilo-sableuse que la Garonne avait préparée pour lui pendant tout le pléistocène, ses descendants n'ont jamais eu peur des formules.

« Je suis la vigne. »

Évangile selon saint Jean X.1.

La citation mérite d'être lue jusqu'au bout :

« Je suis la vigne et mon père en est le vigneron. »

Ce n'est déjà pas mal, mais que dire de leur cri d'armes :

« Sauve Dieu ! »

Vaste programme.

Je suis descendue de voiture et j'ai posé ma main sur le blason de pierre tiédi par un rayon de soleil. Sur le lion léopardé passant sur trois pattes rongées de vieillesse, sur le luth désaccordé, sur le croissant épointé. Sur les rinceaux de vigne.

Et j'ai pensé au boulanger...

Lui aussi aurait dû avoir une devise. Il le méritait. « Il ne faut pas que le monde manque de pain », ce serait bien, non ?

Quand Basin nous arrêta devant le château, la porte s'ouvrit, par magie, sans que personne ait tiré sur la chaîne de la cloche.

De noir vêtu, un monsieur d'une élégance absolue apparut sur le perron.

– Bonjour, Peter, dit Turcla, je vous présente mon amie Gabrielle.

– Bonjour, mesdemoiselles, dit le monsieur avec un accent pour jouer le Petit Lord Fauntleroy.

Du reste, il continua en anglais, en refermant sans bruit la porte derrière nous : « It's always such a pleasure when our young lady returns ! » tandis que les murs de Catusseau tremblaient sous le galop d'un cheval emballé descendant l'escalier monumental. Le cheval n'était qu'un chien, mais quel chien! Une chose géante qui sauta en gémissant sur Turcla.

– Resolute! Mon petit toutou!

C'est un mâtin napolitain, m'expliqua-t-elle tandis que le monstre rampait à ses pieds en poussant des cris de musaraigne à la mamelle.

Mais moi, je ne voyais plus rien que l'immense tableau qui occupait tout un panneau au fond du vestibule.

Dama de Lutz.

Ce qui n'était qu'un timbre-poste noirâtre à la page 47 de notre livre d'Histoire était une gigantesque toile éclatante de couleurs.

« Hippolyte Tubœuf, 1831-1898;

« Dame de Lumière recevant le léopard apprivoisé que Nour ed-Din, sultan des Seldjoukides, lui offre en hommage de grand dol après la mort du comte Foulques. »

J'étais enlevée, emportée, ravie par quelque chose dont je ne savais pas encore le nom et qui allait dominer ma vie : le pouvoir de l'image.

« Hippolyte Tubœuf, orientaliste plus précis que génial », ai-je lu un jour sous la plume d'un imbécile qui n'a pas su comprendre qu'une si pathologique précision tenait justement du génie.

Hippolyte Tubœuf... que personne ne rêve : on ne peut plus acheter une toile de lui. Turcla et moi avons sauvagement écumé le marché pendant plus de vingt ans. Et nous qui donnerions notre chemise ou notre sang l'une à l'autre sans même nous en apercevoir, nous nous sommes arraché la moindre de ses esquisses, le plus infime dessin de ses carnets, le plus pâle de ses croquis, grondantes et déchaînées comme deux tigresses se disputant des membres de gazelle encore chauds, jusqu'à extinction totale de sa signature dans les ventes.

Bien sûr j'aimerais avoir son « Odalisque rêveuse »... malheureusement elle est au Louvre, est-ce bête!

Hippolyte Tubœuf, toi qui m'as tout raconté dans le silence fracassant de l'image, tout dit dans ta chromatique chronique sur grand écran, merci.

J'étais là, plantée sur le tapis rouge brodé de blasons et d'écus, mais mes yeux en liesse m'avaient fait entrer dans le tableau, huit siècles en amont.

Tout y était. Tout. Et j'écoutais le temps...

Année 1151 comme si vous y étiez, bonnes gens, Eble de Talazac, Eble le Fidèle, le vieil écuyer du comte Foulques revient de Terre sainte avec les armes de son seigneur mort. Grand dol! Les flammes et les étendards claquent lugubrement sous les murailles, les chevaux piaffent, naseaux élargis, les chiens donnent de la voix, les valets les retiennent d'une main gantée.

Génial Hippolyte! il n'avait rien oublié : ni la petite gardeuse de dindons au lointain, ni le bœuf qui trace son sillon dans une campagne indifférente, ni la foule d'acier et de soie qui se presse autour du trône de la comtesse, ni les pages ambigus, ni les dames de beauté. Ni la vigne sur laquelle s'ouvre, blessure infinie, une mince fenêtre.

Ni le drame.

Tout entier écrit sur le visage de Dama de Lutz apprenant la nouvelle, une main sur son cœur, l'autre tendue vers l'étrange hommage du sultan, l'oriental cadeau tenu de court par un esclave sombre et enturbanné, la bête tachetée dont on ne sait pas encore le nom en Occident.

Il y avait aussi une fleur, par terre...

– Resolute, je te présente mon amie Gabrielle...

Le mâtin napolitain avait déjà mouillé de bave ma chaussure en signe de féale allégeance. Je l'embrassai sur le front, ce qui lui alla droit au cœur et, éperdu de gratitude, il m'envoya au tapis, cul par-dessus tête.

« Oh! n'insultez jamais une femme qui tombe! » fit une voix superbe au-dessus de moi. Un monsieur encore plus distingué, encore plus chic que ceux que nous avions déjà rencontrés, me considérait à travers un monocle.

« Le duc! » me dis-je, navrée de me présenter à lui par le siège.

Mais ce n'était pas lui. C'était son frère Adalbaud, « oncle Baba! » comme disait Turcla en se jetant à son cou.

Le monsieur me tendit la main et je lus une profonde stupéfaction dans ses yeux quand, m'ayant dépliée, il s'aperçut que j'avais la même taille que lui.

– Sauve Dieu! qu'elle est grande! s'écria-t-il.

Je fis la révérence apprise à Massabielle, histoire de perdre dix-huit centimètres le temps de quelques secondes, puis je restai devant lui, bras ballants, encombrante et pointue de partout, bref intimidée.

C'est alors qu'un personnage ordinaire, sans attrait et sans allure, entra dans le vestibule, vêtu comme Karl quand il fumait la vigne.

– Bonjour papa, dit Turcla, je vous présente mon amie Gabrielle.

Je refis ma révérence mais, cette fois, j'eus beau plonger, je demeurai la plus grande. Le duc Foulques, dix-septième du nom, était vraiment un petit homme et je me sentais fort mal élevée, à mon âge, d'oser lui faire lever les yeux sur moi.

Il avait une figure ronde et sérieuse, des yeux très sombres, perçants et vifs.

– Nogarède, dit-il en m'inspectant comme si j'avais été un cadet qui se présente à la caserne des Preobrajanski, Nogarède, votre père fait un vin de grand honneur, je suis content que Mlle Sottiche vous ait pour amie.

Mlle Sottiche?

Turcla avait baissé les yeux, je la connaissais suffisamment pour savoir qu'ils étaient pleins de larmes.

Qu'est-ce que ça voulait dire, Mlle Sottiche?

– Monsieur le duc est servi, dit Peter en ouvrant à deux battants la porte de la salle à manger.

En dehors de la boulangerie, de mon château de papier et du pensionnat, je ne connaissais rien du monde et de ses vanités. Être plongée brutalement dans le vair et le sinople aurait pu me donner une commotion cérébrale ou me rendre imbécile le reste de mon âge, mais j'aimais Turcla au point d'épouser son univers. Je l'aurais suivie dans une caserne de pompiers, dans une roulotte de manouches comme je l'aurais suivie à l'Élysée et je savais qu'elle épouserait à son tour mon propre univers. Nous doublions nos racines par la grâce de notre amitié.

Je regardais, j'écoutais, j'enregistrais. Je mangeais aussi car la femme de Basin, maîtresse des casseroles, avait dû apprendre à cuisiner avec les anges. Malheureusement, je remarquai très vite que Peter ne servait que de l'eau aux enfants.

Le frère de Turcla, que l'on appelait petit Foulques pour le distinguer de son père, le grand Foulques – qui ne l'était point –, avait trois ans de plus que sa sœur. Il ne me regardait pas et, le nez dans son assiette, ne disait pas un mot.

– J'espère, mademoiselle Sottiche, dit le duc, que vous ne nous rapportez pas des notes aussi affligeantes que le mois dernier.

– Il y a un petit progrès, papa, bafouilla Turcla.

– Un « petit » progrès? « Petit » comment?

– Je suis 3e en histoire et j'ai presque la moyenne en...

– « Presque la moyenne »? Mais tu es vraiment

bête, ma pauvre Sottiche! A-t-on « presque » la moyenne? Non! On A la moyenne! On a PLUS! Et toi tu ne l'as pas! Tu es stupide! Stupide!

Où que ce soit, j'avais l'habitude de la défendre, je n'allais pas l'abandonner sous prétexte que nous étions chez elle.

– Pourquoi vous l'appelez Sottiche? demandai-je sans lésiner sur le taux de décibels.

Ma question pétrifia toute l'assistance. Peter fit une tache de Catusseau 1943 sur la nappe damassée à côté du verre d'oncle Baba, Louisette, la femme de chambre, laissa tomber une cuillère de vermeil, Turcla devint écarlate, petit Foulques me regarda pour la première fois. Les yeux perçants et vifs du duc croisèrent ceux de son frère puis se posèrent sur moi comme deux gouttes d'acide.

Je savais que je sautais des étoiles sans parachute mais, je l'ai déjà dit, j'aimais Turcla.

Je soutins le regard qui ne me quittait pas et je répétai dans une résurgence d'accent germano-bordelais :

– Pourquoi vous l'appelez Sottiche?

On entendait voler les griffons des armoiries.

J'insistai, farouche :

– C'est affreux, Sottiche! Quand on a la chance de s'appeler Turcla! Sottiche! Je me tuerais si on m'appelait Sottiche! C'est bien la peine de descendre de Dama de Lutz!

Et je me dis que je ne tarderais pas à savoir ce qu'était un cul-de-basse-fosse quand le duc posa sa main sur la mienne et me dit :

– Vous me plaisez beaucoup, Nogarède, et, si tu le permets, je vais te tutoyer!

Tout se remit en marche autour de la table comme chez la Belle après le baiser du Prince.

Je dis aimablement :

– Bien sûr que je permets.

Et j'ajoutai, sincère :

– Je boirais bien un peu de vin.

De nouveau, tout se figea, automates arrêtés, gestes supendus...

– Du vin? répéta le duc comme s'il entendait ce mot pour la première fois. Mais les enfants n'en boivent pas!

– C'est dommage, dis-je avec tristesse, parce que j'ai vu que vous avez décanté du 43 et que c'est une belle année.

Un immense éclat de rire les secoua. Je crois que ce fut la seule fois où je vis le duc se taper sur les cuisses. Oncle Baba s'essuyait les yeux avec sa serviette. Peter réprimait avec peine des gloussements de lagopède d'Écosse, Louisette se marrait franchement.

– Moins grande que 45, bien sûr, mais le 45 peut encore attendre, accordai-je gravement.

– Servez les enfants, Peter, dit le duc en larmes en cachant sa tête dans ses mains.

Je vis couler le vin dans le verre de cristal gravé :

« Je suis la vigne », et je pensai : « Moi aussi, mes seigneurs, je suis la vigne. Et mon père, lui aussi, en est le vigneron. »

J'étais très heureuse.

Je pris le verre par le pied, entre deux doigts ainsi qu'il faut le faire. Sans lever la tête, je savais que tous me regardaient.

Alors je fis se balancer la marée pourpre dans la nacelle transparente comme on me l'avait appris depuis toujours. Puis je bus. A peine.

Fameux, leur 43.

J'y trempai encore mes lèvres, modestement, et je fis à mes hôtes un sourire qui devait être charmant car le duc – qui en était fort rat – me le rendit.

Hélas, de l'autre côté de la table, c'était le désastre. Petit Foulques venait d'écluser son nectar comme une brute avinée de Zola n'aurait jamais osé le faire; quant à Turcla, dès la première gorgée, elle avait reposé son verre.

– Alors? demanda son père.

– Je n'aime pas.

– Tu n'aimes pas?

– Non.

– Bois!

– Je vous en prie, papa.

C'était aussi terrifiant que si une jeune sardine avait dit à son père : « Je n'aime pas l'eau. »

Jamais Turcla ne put boire de vin. Elle déteste. Et le vin la déteste.

Son père, qui poussait le raffinement jusqu'à signer ses lettres « Marchand de Vin », à la façon de Montesquieu, son père renonça à la convertir quand il la vit vraiment malade pour un demi-verre de Mouton-Rothschild, une gorgée de château-Ausone, une goutte de Cheval-Blanc.

– Ma fille a le foie félon, me dit-il un jour avec mélancolie. Il fallait que ça m'arrive, à moi...

Ce jour-là, nous ne pouvions pas prévoir que le manque d'entrain de Turcla à lever son verre la conduirait au déshonneur. Le duc pensa que sa fille se plaisait à s'attarder dans l'enfance et que le temps lui donnerait d'autres goûts. Il se leva dès qu'il eut fini sa poire Bourdaloue et, regardant l'heure à sa belle montre de gousset – si belle que j'aurais bien voulu la voir de plus près –, il dit :

– Déjà! avec consternation, et s'en retourna au travail en bon stakhanoviste qu'il était.

Oncle Baba nous demanda de l'accompagner au salon. Je reconnus l'endroit sans y être jamais entrée car c'était là qu'Hippolyte Tubœuf avait situé son tableau. Bien sûr, chaque siècle y avait déposé ses alluvions, mais les proportions n'avaient pas changé. La pièce était si vaste qu'on aurait pu y déclarer la guerre, y lever une armée, y signer la paix, et en même temps si gracieuse qu'on pouvait y servir une tasse de café à un monsieur seul sans qu'il s'y sente perdu.

Dama de Lutz était présente avec sa bête tachetée, interprétée là par un petit maître du XVIIIe d'un maniérisme certain et d'une ignorance absolue de la race féline. De bois, de pierre, longue, ronde, archaïque, hydrocéphale, pastellisée, effilée, idéalisée, délavée, hideuse, sublime, farfelue ou hyperréaliste, l'offrande de Nour ed-Din avait marqué de sa griffe tout le territoire.

– Ce devait être un guépard, dit Baba en surprenant mon regard sur la toile. Les Arabes les apprivoisaient et les menaient à la chasse, en croupe sur leur tapis de selle, alors que nous étions encore à des siècles de découvrir le chat d'Ægypte d'Ambroise Paré. Ah! bientôt deux heures, constata-t-il en entendant la petite voix exquise et toujours en avance de la pendule, nymphe dorée et peu vêtue, alanguie sur la cheminée. Joli timbre, n'est-ce pas? C'est un cadeau du roi Louis XV dont notre famille est assez vaine. Il faut avouer qu'il y a de quoi : Anaïs, qui prête sur cette méchante toile sa figure plate et sa gorge ronde à Dama de Lutz, l'aurait reçue des mains du Bien-Aimé après s'être laissé lutiner par lui dans nos chais. Le père de mon trisaïeul a d'ailleurs cessé de recevoir un cousin, homme aimable et Maréchal de France, qui avait osé prétendre que le roi ne s'était jamais arrêté à Catusseau. On ne badine pas avec l'honneur, et celui d'avoir eu une grand-mère troussée par un roi de France en est un fameux! poursuivit-il et, s'apercevant que je restais la bouche ouverte de saisissement devant ses révélations, il versa un peu de café sur un sucre et le glissa délicatement entre mes lèvres.

Je ne connaissais pas cette coutume du canard, pourtant fort répandue dans la population française. Elle me parut charmante bien qu'elle assimilât les enfants aux chiens... ou peut-être parce qu'elle les assimilait aux chiens...? Resolute nous attendait à la sortie du salon et eut, non pas son canard, mais son sucre. Ce chien avait une connaissance parfaite des usages, des convenances et des rites. Il tenait à jour l'inventaire des lieux où il était admis, toléré ou proscrit. Remuant la queue et souriant de ses babines plissées avec bonne humeur, il semblait dire :

– Je sais! Je sais! Je n'ai pas le droit d'entrer dans les appartements!

– Tu as vu comme il ressemble à Winston Churchill? Oncle Baba qui le connaît bien dit qu'ils ont exactement les mêmes expressions! D'ailleurs, Resolute est d'origine napolitaine mais, sur ses papiers, il est anglais. C'est pour ça qu'il ne faut pas mettre d'accent à son nom.

Le chien britannique au sourire de Premier ministre nous accompagna avec enthousiasme dans le tour de propriétaire que me fit faire Turcla. Petit Foulques avait disparu entre la poire et le canard et tenait visiblement à me faire bien sentir, dès le premier jour, que je ne valais pas un pet de lapin. Ça m'était bien égal! Un garçon qui buvait du 43 comme un trou de sable! D'ailleurs, aucun garçon ne comptait, hormis Jean le Beau.

– Il ne travaille pas, ton oncle? avais-je demandé à Turcla en quittant le salon.

– Il ne peut pas. Il a sept blessures.

– Sept blessures?

– Pendant la guerre nous l'avons cru mort. Nous avons même porté son deuil. Mais il n'était pas mort. Il était pilote dans la Royal Air Force.

– Il est anglais, lui aussi? m'écriai-je en pensant au chien.

– Non! Non! Mais il a été porté disparu à Dunkerque, et après, il s'est engagé. Il a été blessé plusieurs fois. Il a même un éclat dans la région du cœur.

– Du cœur!

– Oui. Et j'ai entendu le docteur Balancel dire à

papa que l'éclat avançait un peu plus chaque jour...

Nous restâmes silencieuses, épouvantées par cette marche mystérieuse d'un bout de fer, dans l'ombre, vers le centre de la vie, puis Turcla me dit :

– Peter, notre majordome, a été très touché aussi. Tu n'as pas remarqué qu'il boite? Ils ont volé ensemble. Peter était son bombardier.

Bombardier! Royal Air Force! Monsieur le duc est servi! God Save the King! Il est bientôt 2 heures, grand-mère Anaïs! Un éclat dans la région du cœur! Un éclat qui avance un peu plus chaque jour, Sauve Dieu! Quelle famille! Et sa maman « qui fut victime des Allemands durant les derniers jours de l'Occupation »!

– Ce sont des héros, dit Turcla comme elle aurait dit : ce sont des géomètres. (Et elle ajouta :) Ton papa aussi, je sais ce qu'il a fait.

À vrai dire, moi, je ne savais pas très bien ce que mon père avait fait au maquis quand j'avais deux ans et que je vivais avec ma maman au manteau vert. Mais j'avais besoin de prouver à Turcla que, sans avoir un pilote de chasse truffé d'éclats comme oncle et un bombardier au ménisque en dentelle comme maître d'hôtel, je disposais de mon côté de grandes personnes intéressantes.

– Tu sais, Karl, le monsieur dont je t'ai parlé, eh bien, c'est un Allemand qui a fait le maquis avec papa.

– Un Allemand? s'étonna Turcla.

– Oui, mais gentil. Il a quitté son pays et choisi la France.

– Il a fait ça?

– Oui.

– Choisi la France? Il faudra que je l'en remercie!

Elle le fit. Je la vois encore, je l'entends encore la première fois qu'elle vint chez nous, elle lui tendit les mains et dit :

– Monsieur, je vous remercie...

Karl l'a regardée avec stupeur. Elle est devenue toute rouge et elle a poursuivi :

– Je vous remercie... pour mon pays.

Après ça, chaque fois qu'elle est venue, elle a eu des fleurs dans sa chambre.

Sottiche...

– Pourquoi t'appelle-t-il Sottiche, ton père?

– Parce que je suis gauche et maladroite.

– Qui te l'a dit?

– Papa.

– Je suis sûre que les aviateurs ne sont pas de cet avis!

– Quels aviateurs? demanda-t-elle étourdiment.

C'est que ça roule vite le train de l'Histoire. Les héros étaient devenus oncle Baba et Peter, le temps effaçait un peu plus chaque jour dans les mémoires la marque de la guerre. Seul l'éclat de métal n'oubliait rien de sa mission obscure. Les aviateurs s'étaient posés à même le sol une fois pour toutes. Ils allaient à pied comme tout le monde. A cela près que l'un boitait et que l'autre pouvait à peine marcher.

Nous traversâmes la chapelle en parlant à voix haute car, me dit Turcla, elle n'était plus consacrée.

C'était une décision que son père avait prise à son retour de captivité.

« Ce n'est point à Dieu de se déranger mais à moi de me rendre chez lui », avait-il déclaré noblement. Épatant. Mais pour être honnête, je dois reconnaître que je ne vis le duc à l'église qu'une seule et unique fois. Le jour de son enterrement.

Le cloître sentait la pierre sèche et la poussière des siècles comme si on n'avait pas balayé depuis la bataille de Castillon. Quelques tombeaux. Un seul gisant. Ou plutôt une gisante. La Dame. Malgré son nez cassé par la Révolution et refait par un vandale, je la trouvai très belle. Ce sourire. Une sorte de joie, presque de malice, dans l'expression de cette longue créature aux mains jointes sur ces mots : « Plus est en moi. »

Elle semblait dire : « Voyez comme j'ai de la chance, moi qui n'ai point existé, d'occuper les gens depuis huit siècles... »

À ses pieds sagement réunis par la mort, veille le guépard qui, là, est poupin et guette, yeux ouverts, pattes en arrêt, ce qui pourrait troubler le repos de sa suzeraine.

J'eus brusquement envie de tout savoir. La mort du comte. Le présent du sultan...

Un sarcophage veuf de son couvercle et vide de son occupant avait recueilli un peu d'eau de la dernière pluie. Une libellule s'y noyait. Nous la sauvâmes en silence à l'aide d'un pissenlit, puis je m'assis sur l'un des flancs du sarcophage comme au bord d'une baignoire, prête à écouter la fable.

« Nous sommes en 1147, commença Turcla comme un guide qui vous fait visiter le Musée des Légendes, le comte Foulques s'était croisé en même temps que le roi de France Louis VII, alors époux d'Aliénor d'Aquitaine...

« Il était parti à leur suite pour les Lieux saints, laissant un fils encore emmailloté sur les genoux de son épouse. Malheureusement, bien avant d'apercevoir les murailles de Jérusalem, à peine passé Antioche, au cours d'une bataille sur les rives de l'Oronte, le comte est blessé, il tombe de cheval et reste, inanimé, empêtré dans son armure, la face dans des fleurs inconnues. Au soir, Eble, son écuyer, le retrouve enfin et c'est là qu'arrive Nour ed-Din entouré de ses féroces cavaliers seldjoukides. La vue d'un chevalier en prières auprès de son seigneur sans vie lui fait retenir le bras de ses guerriers.

« Et pourtant, il n'était pas gentil, Nour ed-Din, commente le guide. Mais, là, Dieu l'a inspiré ! »

Je pensai : « Tu parles! » mais je gardai pour moi cette réflexion désobligeante.

« Bref, les barons francs sont faits prisonniers et emmenés à Alep où le sultan tient sa cour. Et là, soigné, choyé, guéri, honoré, Foulques se prend d'amitié pour l'Infidèle. Quant à Nour ed-Din, c'est bien simple, il ne peut plus se passer de son chrétien. Ce ne sont que fêtes où de belles esclaves jouent du luth, où Foulques chante les vers de sa femme; ce ne sont que délices de sucreries, sorbets exquis et festins jusqu'à l'aube. L'atabeg initie son commensal aux subtilités du « schah de Perse » et se réjouit d'y être mis échec et mat. Les trompes de cuivre de la citadelle sonnent le départ pour la chasse. Au faucon, à l'épervier, au sloughi.

« Au guépard.

« Jusqu'au jour où une pestilence venue du fond des steppes traverse l'Euphrate, balayant tout sur son passage, atteint Alep, y décime la population et emporte le comte malgré toute la science des médecins d'Arabie et des magiciens d'Égypte.

« Désespoir du Seldjoukide qui se sent des devoirs envers la veuve de son prisonnier. On dit même qu'il lui proposa de l'épouser.

« Mais tu penses bien que ma grand-mère a refusé! » conclut Turcla, me ramenant sur la terre. Elle a remercié et c'est là qu'elle a dit : « Plus est en moi. » Tu l'imagines s'en allant chez les mahométans pour partager un mari avec cent cinquante autres femmes! Elle avait son fils à élever, ses poèmes à écrire, sa cour à tenir... Et ses vignes.

On croirait que tout ça a eu lieu la semaine dernière, qu'on va rencontrer la petite gardienne de dindons du tableau et qu'elle va nous conduire à la maison de retraite où Eble, avec des ennuis de dentier, vu son grand âge, va nous réciter les vers de la comtesse.

Je jette un regard à la gisante qui cligne de l'œil

dans un rayon de soleil. Je raffole de cette histoire mais je suis sceptique.

– Tu crois qu'elle a vraiment existé?

– Voyons! s'exclama Turcla, scandalisée, et je fus épouvantée à l'idée de lui avoir fait de la peine.

Cela me navra d'autant plus que la prochaine halte était pour la stèle de sa mère et j'étais torturée à l'idée qu'elle puisse penser que je ne respectais rien.

Je devais vraiment l'avoir blessée car elle ne dit pas un mot en m'entraînant à sa suite à travers les vignes jusqu'au bloc de marbre enraciné au cœur de la vie du domaine.

Je ne sais pas pourquoi je n'ai jamais pu être triste en voyant ce monument. Et pourtant... qui peut supporter la cruauté de ces deux dates :

1917-1944.

Sous son nom est inscrit celui qu'elle porta dans le combat.

Lily.

Le lys, la fleur qui, en s'ouvrant, annonce la date des vendanges.

Un profil de jeune femme se dégage, très blanc, du bloc de marbre. Martine, qui fut Lily pour ses compagnons de l'ombre, sourit à l'armée de ceps qui lui rend les honneurs. A elle la première feuille, la première abeille sur la première fleur, l'odeur de la terre et le rire des vendangeurs. La malice qui venait de me frapper dans les traits de la gisante se lit sur son visage. On dirait qu'en franchissant la porte, elles ont découvert le même secret...

En rentrant de notre promenade, j'ai dit à Turcla :

– Tu sais, je crois qu'elle a vraiment existé, Dama de Lutz!

– Merci, oh! merci! s'écria-t-elle en me prenant la main.

Et nous sommes revenues, très heureuses, nous

disant au fond du cœur : « J'ai une amie! C'est ma meilleure amie! Je l'aimerai toujours quoi qu'il arrive! »

Et aujourd'hui, sur cette terrasse de l'attente, de l'angoisse et de l'espoir, je peux encore dire, comme toi aussi, ma Sottiche, tu peux le dire : « J'ai une amie! »

Car jamais ni les joies, ni les peines, ni les cadeaux, ni les blessures de la vie, ni les brûlures de l'amour – et Dieu sait que nous n'avons été oubliées ni l'une ni l'autre pour aucune distribution –, jamais rien n'a altéré, abîmé, pourri cette rencontre, ce choix, cette élection de deux petites filles en larmes échouées auprès d'une plante verdâtre dans un sinistre parloir.

Comme nous retournions au château, je demandai :

– Et Salavès?

– Nous n'y allons jamais plus, dit Turcla.

Si brièvement que je n'osai demander pourquoi.

La porte s'ouvrit magiquement comme à notre arrivée du matin.

– Monsieur le marquis attend Mademoiselle pour le thé, dit Peter à Turcla.

« Monsieur le marquis »? Je me léchai les babines. J'allais donc voir un autre spécimen de cette réjouissante collection de croisés, sortie tout armée du Gotha pour mon édification?

Mais non, il s'agissait simplement d'oncle Baba. Pourquoi disait-on « oncle Baba »? Tout simplement parce que les enfants n'avaient jamais pu prononcer « oncle Adalbaud » quand ils étaient petits et que le diminutif avait enchanté le pilote de la R.A.F. à son retour sur la terre.

– Monsieur le marquis est dans son cabinet, précisa Peter, ce qui me parut un détail épouvantable car je n'avais pas encore fait connaissance avec le vers 127 de la scène 2 de l'acte I du « Misanthrope ».

40

Le cabinet où je devais boire – et aimer – ma première tasse de thé était contigu à la chambre du marquis.

C'était une de ces pièces qui sont le fruit d'une longue patience, le fruit de couches successives de sensibilités, de civilisations, de cultures, d'études, de recherches, de doutes, d'éblouissements. Et même d'erreurs. Une de ces pièces si remplies d'âme et d'humanisme qu'elles donneraient au charcutier de Machonville l'envie de se présenter au concours d'entrée à l'École des Chartes si, d'aventure, les charcutiers de Machonville se risquaient à fréquenter les cabinets d'amateurs.

Celui d'Adalbaud, je l'ai si souvent visité, pratiqué, hanté, que je puis le décrire, les yeux fermés, article par article, comme si je devais en réciter l'inventaire à un huissier.

Pourtant, la première fois que j'y entrai, je ne vis qu'une chose.

Essentielle.

Un chevalet drapé d'un brocart vert jeté comme le rideau d'un théâtre autour d'une grande photo d'une terrifiante exactitude.

Noir et blanc.

De ce noir et de ce blanc d'autrefois qui semblaient tenir captives toutes les couleurs de l'arc-en-ciel.

Un salon, peut-être, un jardin, sans doute, des sofas alanguis entre des arcades ornées de céramiques, un jet d'eau qui s'élance vers une improbable liberté et, en premier plan, les personnages.

Une femme très belle dont le jeune corps disparaît sous la gaze, la soie et les pierreries. Mais le visage est offert dans une absolue nudité. Le voile vient de tomber, elle le garde encore contre son sein d'une main où le henné raconte une histoire que je ne sais pas lire. De son autre main, elle serre un enfant contre elle. A leurs pieds, accroupi, le crâne rasé, un homme noir, ramassé sur lui-même comme s'il était

41

prêt à bondir au moindre danger. Sertis de fleurs, de
fontaines, de coussins et d'oiseaux, tous trois regardent dans l'objectif depuis les rives d'un autre
monde.

Tout est captif comme les parfums que l'œil
devine.

Silence du temps arrêté.

Et, en même temps, première brèche dans l'im-
muable.

— الحَرِيم , dit l'oncle en désignant

des caractères inconnus tracés sur le cadre. « El
Haram », le Harem... C'est-à-dire le sanctuaire, la
chose sacrée, inviolable... le mystère interdit à l'infidèle, à l'impur... le Harem, el Haram...

— Intraduisible, conclut-il.

Comment la timide Turcla avait-elle obtenu de faire inviter la fille d'un homme dont le grand-père avait été tonnelier chez la baronne James?

– Le vin! me dit le duc des années plus tard, un jour où je lui posais la question. Le vin de ton père!

Cher et terrible Foulques à qui furent interdits les doux chemins de la tendresse... Ce n'est point une larme au fond des yeux mais une goutte de vin pur qui dut ouvrir les cieux à ce brutal.

Mercadier à Podensac, toujours la chère berceuse, bat la mesure, moi, j'arrive du petit bois, il y a un ouvrier dans la cuisine en conversation avec papa et Karl. J'aperçois une camionnette pourrie dans la cour. Ce doit être un de ces saisonniers qui viennent donner la main quelque temps et puis s'en vont plus loin espérer sous d'autres cieux.

L'ouvrier se retourne quand j'entre dans la pièce. C'est le duc. Plusieurs bouteilles sont ouvertes sur la table, à peine entamées. Il n'y a pas d'ivrognes chez nous. On goûte pour savoir, pour juger, pour se rapprocher de la perfection, puis on vide son verre dans le pot qui fera du vinaigre de roi ou partira à l'ouillage du vin de tous les jours.

Je fais ma révérence. Je sais sans qu'on me l'ait encore dit que j'ai gagné, et quand son père m'annonce que Turcla viendra passer les vacances de Pâques à Nogarède, rien ne m'étonne.

Turcla va venir.

Je lui donnerai tout, mon château de papier, les dampfnudeln de Karl, le bon pain du boulanger, je cueillerai pour elle les rares fleurs de notre lilas, je l'emmènerai courir pieds nus dans la rosée de l'aube et la terre grasse où pointent les cailloux remontés des profondeurs...

– Nogarède, dit le duc en s'en allant vers sa camionnette pourrie, tout en remettant un vieux chapeau gras sur sa tête, Nogarède, j'ai quand même un service à vous demander : essayez de faire boire ma fille!

Hélas, à Nogarède pas plus qu'ailleurs, Turcla ne put jamais aller au bout d'un verre de vin.

Il paraît qu'on n'avait jamais vu ça dans sa famille, sauf une fois, au XIVe siècle, où une malheureuse fut emmurée vive pour avoir refusé de trinquer avec son beau-frère à la santé du traité de Brétigny. Et encore, on n'a jamais su si c'était la haine du vin ou de l'Anglais qui l'avait empêchée de lever sa coupe.

Mais à part cette vérité fondamentale qui coulait dans notre sang et qu'elle aurait dû charrier dans le sien, nous partageâmes tout avec Turcla et elle accepta de nous tous les autres présents.

Depuis que je m'étais risquée au sud de Bordeaux et que j'avais découvert d'autres lieux que ceux de ma naissance, je savais que des paysages pouvaient être plus beaux que dans mon Médoc, que la nature pouvait être moins plate, moins monotone. Mais ces règes de vigne d'où j'étais issue m'avaient enchaînée à elles à jamais en me révélant que la terre existait.

Et que mes racines étaient là.

Même ici, en Grèce, devant cette mer parfaite et sous ce ciel mythologique, je languis de ma vigne. La liane qui joue autour de ma maison et des colonnes de la terrasse, les pampres que les chèvres de Clytemnestre broutent un peu plus chaque matin ne me font pas oublier les ceps de Nogarède. Il y en a un surtout, perdu dans Canterane, dont je suis folle. Chaque année, je lui rends visite pour voir ce qu'il a inventé. Parfois, c'est une feuille rouge fichée au milieu du bleu-vert réglementaire avec trois grains sombres en barrette, comme si le joaillier venait de les livrer. Parfois, année comique, il spirale une vrille en ressort comme s'il offrait le tire-bouchon avec le vin. Parfois, hypocrite, il se fait vilain, rabougri, pauvre de feuilles – pour un peu, il tousserait afin d'attendrir la famille – et, au ban des vendanges, il se couvre des plus lourdes grappes de la parcelle.

Vivre au ras du sol, Turcla, cadeau pour toi. Du haut de tes donjons et de tes chemins de ronde, on ne peut avoir de la nature qu'une notion élevée. Celle de Madame à sa tour monte, celle du cavalier. Ici, nous sommes les piétons du paysage.

Impossible d'imaginer ta famille assise à même les marches de votre perron en train de manger une viande saignante entre deux tranches de pain, le verre posé sur la pierre contre le genou. Vos gens en tomberaient du haut mal. Et quand vous grillez l'entrecôte dans les vignes sur les sarments de cabernet, les petits matins de vendange, à l'heure où l'odeur de la terre monte à l'assaut du brouillard, ce brouillard de joie qui rend brusquement le paysage confisqué, votre rusticité a l'air brodée au petit point sur une verdure où de grands chiens roux bondissent pour saisir au vol ce que leur jettent maîtres et valets.

A Nogarède, c'est le soleil qui met le couvert et parfois, en plein hiver, on déjeune assis dehors, sur l'escalier, face aux vignes, heureux, le derrière frais, le cœur chaud.

– Vous êtes là tous les trois? disait papa quand nous étions réunis, Turcla, Jean et moi, alors je fais l'école!

Parce que j'avais vu un escargot qui semblait

l'écouter, un lézard qui n'avait pas bougé pendant qu'il parlait, j'imaginais que la nature tout entière était attentive à ses paroles. Je n'ai du reste pas changé d'avis, qu'est-ce que tu en penses?

Ma question s'adresse au pot de basilic, tout près de moi, je l'ai à peine effleuré de la main et voilà qu'il me répond d'une caresse odorante qui remplit mes yeux de larmes de gratitude.

Bien sûr, la nature écoute ceux qui l'aiment et, à l'école de Nogarède, elle ne pouvait se tromper sur nos sentiments.

– Dis, papa, c'est pour la délivrer des pucerons qu'on plante des rosiers dans la vigne?

– Jamais de la vie! C'est pour lui tenir compagnie!

Nos rires se mêlaient à la voix grave de Mercadier à Podensac, tandis que Karl fendait un vieux fût de mérin, ce bois très dur qui vient de Hongrie. On fera la grillade dessus ce soir et l'âme du vin parfumera la viande. Ah! Un lys s'est ouvert ce matin sous la fenêtre de la cuisine, cela veut dire que dans 110 jours on va vendanger.

– 105! dit Karl.

Mon père défend ses 110 jours, Karl ses 105, et les voilà, brandissant la loi comme deux rabbins devant l'Arche.

105! 110!

Je pense à Lily... j'ai toujours peur que l'évocation des lys n'attriste Turcla en lui rappelant sa mère. Heureusement, le tonnerre, au loin, nous distrait de la liliale exégèse... l'orage est sur Margaux, il sera bientôt sur nous, il arrive, il est là, sauve qui peut! Il pleut!

– Il faut que nous soyons fous, dit mon père, le front contre la vitre crépitante, pour continuer, après tant de siècles d'expérience, à cultiver la vigne dehors!

Nous avons de la chance, nous ne sommes pas des enfants de la ville. La terre ne nous montre pas que sa tenue de vacances, nous changeons d'habit avec elle, au long des saisons, comme les hermines et les papillons. Nous nous glissons dans la fraîcheur des caves profondes pour échapper à l'été. En silence depuis que Karl nous a appris que les éclats de voix troublent le sommeil du vin. Spéléologues des foudres et des fûts, nous ne nous embarquons jamais sans la bougie, le briquet et le couteau. L'odeur de soufre qui flotte sous les voûtes nous fait éternuer. Le diable est quelque part... il se cache dans l'ombre... Oh! le trouver! Diable, où es-tu? Que fais-tu? Que bois-tu? Cher diable, je voudrais trinquer avec toi! Puis, au bout de 105 ou 110 jours, Messieurs les docteurs, nous faisons surface dans les vignes. Lourdes charrettes où nous hissent les bras rudes des journaliers, longues tables chargées de nourritures fondamentales et de pichets sans cesse renouvelés, rires et chansons, voici venu le temps des vendanges où nous irons cueillir les grappes, le museau sucré, les mains bleues, au milieu d'étudiantes américaines, de Polonais sans papiers et d'Arabes joyeux.

L'automne apporte l'odeur grasse de la terre, la fraîcheur entre dans les maisons avec les dernières guêpes, les magnolias rouillés perdent des pétales dans le brouillard...

L'hiver est beau aussi sous son soleil nu et froid. C'est la seule saison où la vigne nous permet de déchiffrer son alphabet... afin de nous faire épeler son nom à l'infini.

Jusqu'à ce que tout recommence et que la houle verte moutonne jusqu'à l'horizon.

– Quel fou, ce Jésus, les enfants! Marcher sur l'eau alors qu'il aurait pu marcher sur nos vignes!

Le jour où Jean a eu seize ans, Turcla en avait treize et moi douze, nous avons déjeuné à Pauillac chez le boulanger.

Une grande fête.

« La première fois que j'ai vu Jean, m'a confié

Turcla, je l'ai trouvé si beau que j'ai cru voir Joseph! »

Joseph! Le vieux charpentier super-sympa qui suit Marie en échelon refusé en portant le petit? Quelle horreur! Mais non! l'autre! le beau! le Si beau que chaque fois qu'il arrivait dans une famille, il déclenchait la catastrophe! Le malheureux qui a été obligé de laisser son manteau à Mme Putiphar pour qu'elle lui fiche la paix!

Celui-là? Ah! bon, d'accord!

Avant le déjeuner, nous nous sommes promenés tous les trois et, Jean et moi, nous avons présenté Pauillac à Turcla.

Pauillac, il faut apprendre à le voir parce que, comme ça, au premier coup d'œil, ça peut paraître moche. Mais si on sait regarder les rues droites qui vont vers la Gironde, les rues droites ouvertes sur l'infini de l'aventure à travers la mer, les rues droites qui conduisent à la découverte d'autres mondes, alors là, Pauillac, c'est beau.

« Tu sens le goût du sel? C'est le vent de la mer qui l'apporte... »

Turcla a passé la langue sur ses lèvres et, comme elle est très gentille, elle s'est écriée :

« Oh! la, la! qu'est-ce que c'est salé! Quel vent! »

« Un vent retour des Indes... » a expliqué Jean, et le ciel s'est rempli de coupoles bleues et de minarets d'or et, justement, un gros bateau s'est montré au bout de la rue, comme au théâtre dans ce qu'on appelle le lointain, puis il a disparu derrière les façades de pierre...

« Un jour, on embarquera », a dit Jean, et on a dit d'accord.

Puis il nous a prises chacune par un bras et nous a ramenées à la boulangerie, très fières. Surtout quand M. Delmas, le cordonnier, lui a lancé au passage :

« Alors, Janot, on promène ses fiancées? »

Seize ans, Jean. C'est un jeune homme.

Il travaille tellement bien que le proviseur du lycée de garçons a dit : « Il fait honneur à ses parents. »

Et c'est vrai. Il sera avocat.

– Un beau métier, m'a dit son père.

– Toi aussi, le boulanger, tu fais un beau métier.

Il a ri.

– Tu peux m'appeler Jules, ma petite Gabrielle!

Jules? Je n'oserai jamais.

Je préfère l'appeler « le boulanger » comme les vieux qui entrent dans la boutique, disent : « Tu m'en donneras un de bien cuit, le boulanger », se font marquer sur l'ardoise et paient en fin de mois avec des billets fripés et des pièces qui sonnent sur le comptoir.

Il s'est fait chic pour déjeuner avec nous, lui qui se déplace toujours au milieu d'une nébuleuse de farine. Papa et Karl aussi sont beaux, ils ont mis des cravates et ils ont apporté le vin.

Il y a quinze jours.

Pour qu'il ne soit pas fatigué par le voyage depuis la maison. Il y a même une bouteille de château-Yquem au frais.

« Un vin qu'on boit debout. »

Tout le monde se lève, même Turcla avec son verre de limonade.

Souveraine a glissé dans le fournil une tarte aux prunes qu'elle sert chaude sous une couronne de seize bougies.

« A la santé de ton fils, Souveraine! »

Elle sourit, heureuse, et je l'embrasse fort, retrouvant cette odeur de bon pain qui accompagnait mon sommeil d'enfant. Après la mort de maman, tous les soirs, elle venait m'endormir dans le petit lit qui avait été celui de Jean. Elle déposait de gros baisers sur mon front. Elle me bordait serré comme si elle avait peur que je ne disparaisse dans la nuit. Elle chantait une chanson très douce qui se diluait comme un brouillard... som, som, som, veni, veni, veni... Le jour où papa est venu me reprendre elle pleurait en disant :

« Je suis bien contente! »

Quel bel anniversaire que ces seize ans de Jean... Le soir, à Nogarède, c'est bien simple, Turcla et moi, nous ne pouvons pas dormir. La lune est belle dans le ciel que nulle montagne ne nous cache. La lune est belle, pure, nul n'a encore posé le pied sur elle. Neil Armstrong ne sait pas qu'il sera son premier homme...

– Tu dors?

– Non, dit Turcla qui regarde, comme moi, de son lit, par la fenêtre ouverte.

– Turcla?

– Oui?

– Tu te souviens de ta maman?

Silence dans la chambre où coule la froide lumière de nuit.

Oui, Turcla se souvient. Elle avait cinq ans et demi quand sa maman est partie pour Bordeaux pour la dernière fois. Jupe plissée, chemisier blanc, gants au crochet, veste tricotée, socquettes de fil. Comme toujours quand elle allait voir l'abbé.

Oui, Turcla se souvient. D'un baiser dans ses cheveux, d'une image gracieuse, d'un réveil au milieu de la nuit... là, tout se brouille... au fond, elle se souvient de ce qu'on lui a dit. Mais elle ne sait rien. Il nous faudra des années pour déchiffrer qui fut Martine. Pour savoir pourquoi Salavès est fermé comme une tombe.

Lily « qui fut victime des Allemands pendant les derniers jours de l'Occupation... ».

Un monde fabuleux se cache tout près de celui où nous vivons. Un monde où glissent des libérateurs en espadrilles perdus dans les marais et les bois. Un monde où une jeune femme se joue de l'occupant et lui tient tête, souriante, sans qu'il le sache, une jeune femme reine de la nuit, gardienne de souterrains d'un autre âge, une jeune femme, contact, filière, boîte aux lettres, informatrice, messagère, planque, antenne, relais, compagnon, soldat, camarade... Le colonel Eberhardt n'avait pu lui refuser la permission de s'installer à Salavès quand elle était venue le trouver, deux petits enfants s'accrochant à sa robe de deuil – le deuil d'un beau-frère porté disparu à Dunkerque. Son mari, lui, était prisonnier. Pas de chance. Elle avait demandé que l'on ferme quelques pièces de Catusseau et la bibliothèque. Avec tant de douceur qu'il n'avait pu qu'accorder sans deviner sa force. Il avait dit oui et elle l'avait remercié en rougissant et en bégayant, debout au milieu du grand salon qui était maintenant celui de l'occupant. Personne n'avait proposé de s'asseoir. Ni lui ni elle. C'était la guerre, ne l'oublions pas.

Elle l'oubliait moins que personne, la guerre, cette jeune mère qui ne sortait de ses vignes que pour aller ostensiblement chercher un peu de réconfort auprès de l'abbé avec qui elle avait fait du scoutisme si peu de temps auparavant.

« Pauvre petite, elle va voir son curé », se disait le colonel lorsqu'il la voyait partir pour Bordeaux dans des équipages de fortune. Il haussait les épaules : « Il faut bien qu'elle se raccroche à quelque chose. »

Ça, pour être accrochée à quelque chose, mon colonel, elle l'était!

Je n'ai su la vérité qu'à la veille de la mort de youlques, quand il a voulu que je vienne le voir à Bains-les-Bains. Le prétexte avancé était tout différent... mais, au fond, n'a-t-il pas voulu me revoir pour ça? Pour me dire la vérité. Une vérité si horrible et si belle à la fois qu'on n'avait pas osé la confier à des enfants. Après, il avait été trop tard. Je me demande même si Turcla et son frère en savent autant que moi? D'autres détails, sans doute, qui, réunis à ce que je sais, seraient bien près de reconstituer ce que fut la réalité.

Mais nous n'en parlons jamais. Un jour, peut-être...

Cette nuit-là, cette nuit de la lune vierge et du bel anniversaire, Turcla, à son tour, me posa une question :
– Jean...
– Oui ?
– C'est ton fiancé ?
– Bien sûr.
Tout est simple et programmé. Pas de surprise à attendre de la vie.
Patience.

Joli printemps à Catusseau.

On ne compte plus le nombre de mes visites. Mais cette fois le plaisir est absent. J'ai mal à la gorge. Turcla aussi. Les mots sortent difficilement. Nous sommes prises de frissons. Le vieux docteur Balancel vient en urgence. Il est catégorique : c'est la scarlatine.

– Je l'ai eue! s'exclame joyeusement oncle Baba comme s'il s'agissait de la Military Cross – qu'il avait eue également d'ailleurs. Je vais pouvoir veiller sur ces petites pendant quarante jours!

On nous a installées dans la chambre voisine de la sienne.

La chambre des pages.

Nous allons y vivre confinées comme des ladres.

Brouillard de fièvre, bouillons fades, tisanes révoltantes, sommeil enluminé de cauchemars, Baba ne nous quitte pas. Il rit parce que je lui ai dit :

– Merci, ma sœur.

Il veille.

Interdiction de porter la main à notre visage...

– Vous devez sortir de là sans une seule marque, c'est un ordre! Il faut être belles!

Les paupières lourdes, nous le devinons plus que nous ne le voyons.

Mais nous obéissons.

Puis, peu à peu, nous revenons vers le monde des vivants. Un matin, nous avons faim.

Une pomme cuite.

– C'est bon? demande-t-il.

Si c'est bon? Ça doit avoir ce goût, la résurrection.

De la pomme à la bibliothèque, il n'y a qu'un pas. Chancelant. Que nous faisons, appuyées l'une sur l'autre.

Grisaille d'or sur la cheminée monumentale, « l'Harmonie terrassant l'Archidémon » nous regarde. Les portulans sont immobiles, les astrolabes sont au garde-à-vous, les livres écoutent, la bibliothèque est attentive comme une salle de concert retenant son souffle... et c'est là, sous l'aigle de bois aux ailes déployées du lutrin, que Baba attaque l'ouverture de notre vie comme une symphonie. Cette musique ne cessera jamais de résonner dans ma mémoire.

– Vous êtes encore dangereuses, demoiselles écarlates, mais vous pouvez déjà tenir debout et ouvrir vos oreilles pourpres. La bibliothèque vous accueille! N'ayez crainte d'y donner votre mal à quiconque, nul ne vous y dérangera, personne n'y vient jamais! Nul besoin d'actionner vos crécelles pour écarter le passant. Il n'y a pas de passant. Les Allemands eux-mêmes se sont arrêtés à la porte!

Que cet homme charmant ne fût point entouré de femmes ne nous surprenait pas. Il était à nous.

Parfois son visage pâlissait, il portait une main à son cœur. Le projectile poursuivait sa course noire. Puis la douleur s'estompait. Il souriait. Oubliait. Nous aussi.

Quel âge avait-il? Il était certainement beaucoup plus jeune que nous ne l'imaginions mais la moindre promenade l'épuisait. Il nous escorta pour notre première sortie juste devant le perron. Parfois il s'arrêtait et s'appuyait sur une canne de golf comme sur une miséricorde. Puis, quand nous pûmes de nouveau gambader, il nous confia à Resolute. Et, depuis une fenêtre en ogive, il regardait son chien qui courait au-devant de nous, revenait, donnait de la voix, repartait au grand galop de charge, tirant une langue héraldique et rose avant de s'en retourner monter la garde, docile, devant la porte de la bibliothèque interdite.

Dès le premier jour, avant de pénétrer dans le sanctuaire, Baba nous avait prévenues :

« On ne doit jamais aller se coucher sans avoir fait l'acquisition d'un mot de plus. Cinq est une honnête moyenne. A dix, vous devenez membre bienfaiteur. Nous allons essayer de vous constituer une dot de mots... le seul risque est que personne ne vous comprenne plus d'ici à quelques années mais, bah! prenons-le! »

Et, ce soir-là, comme on énumère les fleurs d'un bouquet, nous avons inscrit sur nos cahiers neufs : « Porphyrogénète, cattleya, ébiselé, échinoderme et prétintaille ».

Encore un peu fiévreuses, nous rêvions de mots comme de personnes vivantes. Nous nous sentions jardinières de mots comme on est jardinière d'enfants. La graine de mots devenait verbe vert germant à la façon des haricots dans l'ombre de la nuit; de nos lits jumeaux, nous croyions entendre la douce respiration, les émouvants vagissements d'une nursery où allait éclore et se lever l'armée de notre langue maternelle. J'aurais voulu entraîner Turcla pour les surprendre dans leur sommeil, les chéris, déposer un baiser sur le front du petit Vocabulaire ou de sa grande sœur Sémantique... Mais Turcla avait peur des mystères et ne voulut jamais me suivre.

Cette sainte habitude d'aller au lit avec un mot à sucer comme un bonbon est restée si forte qu'hier encore, avant d'éteindre, j'ai cherché dans le dictionnaire et j'ai ajouté : « orcanette », n.f. à ma collection.

A sa troisième visite, le docteur Balancel déclara que nous n'étions plus contagieuses. Notre réclusion n'en fut heureusement pas interrompue pour autant. Le duc était aux champs, petit Foulques au collège, nous restâmes dans nos quartiers. Mais ce jour-là, pour la première fois, la porte de la bibliothèque s'ouvrit devant Peter. Toujours tiré à quatre épingles, toujours de noir vêtu, il entra poussant un guéridon roulant aux ailes repliées.

Resolute, en arrêt, héroïque, la langue pendante et l'œil désolé, resta sur le seuil.

Les gestes de Peter pour relever les bras de la table et disposer sur la nappe de linon l'argenterie et la porcelaine eussent épaté la reine d'Angleterre en personne. Je m'étonne encore, depuis ce jour-là, que la lecture et l'étude n'aient plus ce goût de marmelade, de chocolat, de beurre fondu et tiède. De thé!

Oh! le thé... le thé, consacré par la présence du bombardier boiteux qui le servait comme on sert la messe à Canterbury.

Toujours le lait d'abord. Et froid. Obviously. Pour protéger de l'assaut brûlant la mince porcelaine de Chine. Alors l'odeur s'élève et avec elle flotte l'âme du thé.

Du thé, qui est la seule nourriture immatérielle qu'il nous soit permis d'apprécier sur terre...

Accompagnement de l'immatériel, nous découvrions chaque jour une nouvelle friandise sous une serviette empesée. Scones, buns, muffins. Ou bien merveilles, bugnes et macarons montant droit de la cuisine pour nous rappeler que l'étoile des Plantagenêts ne brillait plus sur l'Aquitaine.

Un jour, le facteur apporta un paquet recommandé au nom de Turcla. Elle l'ouvrit et en sortit une boîte en fer-blanc exhalant une odeur de cannelle.

C'était un cadeau de Karl.

– Dampfnudeln, mein Gott! s'écria Baba, assujettissant son monocle avec gourmandise. La dernière fois que j'en ai mangé, c'était au « Sacher »! Sentez cette bouffée de Mitteleuropa qui nous vient d'avant Hitler! Quand je pense que tous nos cousins autrichiens sont morts... Wilfried, le plus beau cavalier de Vienne, Ulrica dont j'étais amoureux quand j'avais cinq ans et qui s'est suicidée quand son fils est mort devant Stalingrad. Vous me jurez, les fleurs, que vous saurez profiter de la vie? Juro?

– Juro! promettions-nous.

A part les lettres que nous échangions chaque semaine, cet envoi fut la seule manifestation de ma famille pendant le temps de la scarlatine.

Jamais ni mon père ni Karl n'auraient accepté une invitation à Catusseau. Il y avait deux univers distincts et, dans l'un comme dans l'autre, nous étions parfaitement heureuses. Celui de l'école au ras des vignes où l'escargot et le lézard étaient nos compagnons. Celui de la tour pleine de reliures et de Savoir où nous retenait Baba. Ces univers n'étaient point ennemis mais parallèles et, seules, Turcla et Gabrielle pouvaient les faire se rencontrer dans leurs cœurs en une fusion fondamentale.

Avant d'avoir le droit de toucher de nouveau à un livre après la cérémonie du thé, nous devions aller nous laver les mains à l'autre bout du château. Une expédition. Il fallait traverser la galerie Hernani. C'est Baba qui avait baptisé ainsi le sévère couloir où ses ancêtres se regardaient sans aménité depuis le fondateur – et qui, parodiant Hugo à sa manière, s'écriait :

> « Celui-là, des pépés
> C'est l'aîné, c'est l'aïeul, l'ancêtre, le grand
> [homme!
> Don Salavius, qui fut trois fois consul de
> [Rome. »

Don Salavius, César biturige en toge romaine, avait viré au noir avec le temps et riboulait des yeux blancs dans une face d'ébène, ce qui inclinait le visiteur à penser que la noble famille descendait d'un roi africain.

Les « lavabos » succédaient aux ancêtres et étaient presque aussi vieux qu'eux.

C'étaient de grandes coquilles de porcelaine que l'on vidait en les retournant. S'y laver les mains requérait une force de Turc. On se versait de l'eau au creux des paumes, à tour de rôle, en soulevant avec peine les pots marqués du cri d'armes. Puis vite, vite! courant le long de la galerie sous l'œil plein de réprobation des ancêtres, nous regagnions la bibliothèque.

Maintenant, Constance brûle des parfums exquis à travers Catusseau et celui du sanctuaire a de la peine à lutter contre la « pomme verte » ou le « coing de village ». Au temps de la scarlatine, on respirait l'odeur du bois ciré, poli, usé, celle du cuir des reliures, craquant, craquelé comme les mots prisonniers, celle du papier moisi et poudré.

Une humidité défunte qui aurait séché pendant cent ans.

– Il y a, avant tout, les lectures essentielles, disait Baba, un incunable à la main. La Bible. Bien sûr. Le Coran... nous y reviendrons, c'est presque une affaire de famille, nous sommes alliés à l'Islam par un guépard, ne l'oublions pas! Tout de suite après : « la Cousine Bette ». Fondamental.

Puis il concluait gravement :

– Enfin, si vous ne deviez lire qu'un seul livre de toute votre vie, pas d'hésitation : « le Sapeur Camember » !

Chaque jour il ajoutait un ou deux titres à la liste, une gerbe de mots farfelus à notre vocabulaire, pas toujours de première nécessité, je dois l'avouer, l'emploi de « tagmatophylax » et de « protespathaire » étant assez limité. Quelques anecdotes insensées sur des messieurs qui n'avaient été pour nous, jusqu'ici, que des classiques Vaubourdolle à perruques et qui devenaient des copains hilarants qui perdaient braies et râteliers chez les belles coquines de jadis. Il nous mitraillait, nous bombardait, nous irradiait en enrobant son enseignement de douceurs comme une pilule d'herbes amères prise dans un glacis de sucre.

« Jam to-morrow and jam yesterday – but never jam to-day », disait rituellement Peter en nous présentant les marmelades.

– « De la confiture demain et de la confiture hier – mais jamais aujourd'hui » : Lewis Carroll a résumé dans une cuillerée mythique le sens de la vie, servez-vous bien, mes charmantes!

Mes charmantes!

Quel optimiste!

Sur les funèbres photos de Massabielle, où chaque classe posait comme un groupe de vierges romaines promises aux lions, j'ai toujours vainement cherché le charme de la rondelette Turcla et de l'interminable Gabrielle.

– C'est la faute de l'uniforme! disait Baba avec délicatesse. D'ailleurs, ce n'est pas un uniforme, c'est une expiation! But I trust you, girls! Nous vous vengerons! Vous serez belles! Que dis-je? Le vieux sot! Vous l'êtes déjà! Regardez-vous! Gabrielle, ta mère était d'Agde, Agatha, la bonne ville de la Narbonnaise. Les Sarrasins t'ont déposée sur le rivage, plus noire que la pierre de vos basiliques. Le soleil habite au fond de toi, tu n'as pas besoin de le regarder pour que le hâle te recouvre comme une marée. Gabrielle, tu me permettras de t'emmener chez Lanvin pour tes dix-huit ans?

– Oh! oui, monsieur, bafouillai-je, éperdue, tandis que Turcla le questionnait doucement :

– Et moi, mon oncle, comment me voyez-vous?

Il la regarda longuement, gravement, puis il sourit.

– Vous n'êtes pas seulement de belles images, vous êtes des livres d'Histoire, toutes les deux... chez Gabrielle il y a ce brassage de sangs de la mer Intérieure. Du grec, du romain, du juif, du sarrasin avec un zeste de Volques arécomiques... Toi, tu es le résultat d'autres invasions, d'autres alliances. Ce n'est pas le Levant, c'est le Septentrion qui est ton berceau. La rose blanche d'York, la rose rouge de Lancastre font la paix sur tes joues, Turcla, tu es douce et veloutée comme un pétale... tu as le teint de ta maman.

Sa voix se brisa sur le mot « maman » dans un sanglot si poignant de douleur que je crus que le fatal morceau de fer venait d'atteindre son but. Il semblait écouter quelque chose de cruel et de déchirant, au fond de lui, et c'était si triste que, sans nous être concertées, Turcla et moi nous posâmes timidement la main sur lui. Il releva la tête, nous découvrit, recomposa son visage, sourit et s'écria :

– Bref, vous êtes, serez et resterez belles, vous verrez, ça aide!

Seize siècles d'éducation et de manières, ça aide aussi et ça permet, comme à un gazon anglais du temps de la reine Anne, de retrouver son maintien après la tempête, même quand on a eu très mal.

– Il faut que je vous confie un secret, dit-il un jour où il nous avait fait descendre et étaler tout Shakespeare sur la grande table : « The works of Mr William Shakespeare printed for C. Hitch & L. Hawes, J. & R. Tonson, B. Dod, J. Rivington, R. Baldwin, T. Longman, S. Crowder & Co, W. Johnston, C. Corbet, I. Caston and B. Law & Co. MDCCLX. » Voyez-vous – il baissa la voix –, je ne le dirais pas devant Peter et Resolute qui sont british tous les deux mais il faut que vous le sachiez : il y a une tache sur la couronne d'Angleterre... non, ce n'est pas ce que vous croyez! Ce n'est pas Richard III, ce n'est pas non plus Henri VIII! C'est l'emprisonnement d'Oscar Wilde! Et vous savez pourquoi on l'a mis en prison? poursuivit-il comme s'il s'adressait à des initiés. Vous êtes au courant, bien sûr?

Eh bien, non. Et quand il nous eut demandé le nom du jeune amant d'Oscar et que nous ne pûmes lui répondre, il parut très affecté.

– Vous ne SAVEZ PAS? Mais qu'est-ce qu'elles

60

vous apprennent, les sœurs? Elles savent que vous risquez de dîner en ville un de ces soirs? Elles sont conscientes de leurs responsabilités? Heureusement que je suis là pour assurer votre avenir! Il s'agit de Lord Douglas. Répétez : Lord Douglas!

Nous répétions, dociles. Il se frottait les mains.

– Elles vont être sidérées, les sœurs! Vous verrez vos moyennes au prochain carnet!

Il avait raison. Elles furent sidérées, les sœurs. Quant à nos moyennes, elles furent lamentables. Le cadeau de Baba était un cadeau à retardement qui devait porter ses fruits beaucoup plus tard. Lord Douglas, à Massabielle, ça ne donnait pas de points d'avance. C'était beaucoup moins gratifiant qu'une option de couture.

Ça nous apprit qu'il y a beaucoup de planètes dans la galaxie du savoir et qu'on n'y respire pas toujours la même atmosphère.

C'était déjà suffisant.

Comme était suffisant le bonheur d'être aimées pour nous-mêmes. Chacune et toutes les deux.

Je crois que nous aurions appris le vieil islandais rien que pour lui faire plaisir...

Grimpées sur les escabeaux roulants de bois sculpté comme sur des machines de guerre, nous allions, pour lui, chercher les plus belles reliures dans les hauteurs inaccessibles des rayons, là où brillait encore l'or des fers de Pasdeloup.

– Que voyez-vous, là-haut? questionnait-il.

– Montesquieu.

– Chapeau bas!

Un jour, au moment de nous faire descendre les volumes de « Guerre et Paix », il se ravisa et dit :

– C'est trop tôt. Pour tes seize ans, Turcla, vous l'ouvrirez toutes les deux, vous lirez ensemble la première page et...

il avait souri,

et vous m'en donnerez des nouvelles!

Mais le jour des seize ans de Turcla, tu n'étais plus

là, camarade. Lanvin, Tolstoï, les mots à découvrir, les tasses de thé, le bonheur à saisir, c'était sans toi désormais.

Fidèles à la promesse, nous avons roulé le grand escabeau de bois blond jusqu'à la place que tu nous avais indiquée. Turcla à sa tour monte, si haut qu'elle peut monter...

Elle prend le tome I. Elle rit.

– Figure-toi que c'est en russe!

– Fais voir!

Je n'avais encore jamais rencontré de caractères cyrilliques. Elle m'a tendu le livre :

Война и Мир

Je l'ai ouvert à la première page et j'ai lu :

« Eh bien, mon prince, Gênes et Lucques ne sont plus que des apanages, des domaines de la famille Buonaparte... »

– Oh! Turcla, le livre russe commence en français!

Alors nous avons débarrassé la grande table aux revues, nous y avons étalé les volumes de « Guerre et Paix » et nous avons salué toutes les phrases que Léon Nicolaïevitch avait écrites dans notre langue du temps où elle était encore souveraine.

– ... vous m'en donnerez des nouvelles, avais-tu dit.

Tu nous avais lâchées en chemin, d'accord, mais tu nous avais pris rendez-vous avec la vie.

Le voile du Temple se déchira très exactement à la fin de la scarlatine, le jour du 3 mai, quand Adalbaud apparut sur le perron à midi sonnant, en habit, avec toutes ses décorations et sa cape noire.

Il avait l'air du bon vampire qui a obtenu la permission de s'envoler en plein jour. Apothéose de Nosferatu réconcilié avec la lumière.

Basin, en grande tenue lui aussi, donnait un dernier coup de plumeau au guépard de Lalique posé sur le nez de la Delage, comme une jolie femme qui secoue une ultime fois sa houppette sur sa frimousse avant de sortir.

– J'ai rendez-vous avec Clémence Isaure, nous confia Baba avant de monter en voiture, et nous fûmes torturées de jalousie jusqu'à son retour à l'heure du dîner avec cette phrase rassurante :

– L'an prochain, vous viendrez avec moi.

Nous n'osâmes pas poser de questions mais, de lui-même, il nous parla de cette Clémence avec qui il avait rendez-vous une fois l'an.

Elle était morte.

Quel bonheur! pensâmes-nous avec élan.

Elle n'avait du reste probablement pas existé. Et alors?

– Dame Clémence comme Dame de Lumière c'est le ruisseau de la poésie, le cordon de poudre qui relie *nulle part* à *jamais*, l'esprit qui veille en dehors du temps... on ne va pas, en plus, leur demander leurs papiers comme à la douane!

Nous étions dans son cabinet, tout près de la photo drapée de vert. Je découvrais à chaque nouvelle vision un détail qui m'avait jusque-là échappé. Une fleur. La ciselure d'un bracelet. L'arabesque d'une mosaïque. Je me demandais même si l'image ne se modifiait pas en dehors de nos yeux? Cet accroissement perpétuel de sa profusion avait quelque chose d'inquiétant et d'enchanteur...

Un rire léger, une voix lointaine qui disait mon nom...

– Gabrielle, tu es dans le Harem! Si tu crois que je ne te vois pas entrer dans les images, petite voyageuse! J'ai peur qu'un jour tu n'oublies de revenir!

Nous ne l'avions jamais vu aussi gai que depuis sa fugue à Toulouse. Ses yeux brillaient, il nous prit par la main et nous fit asseoir devant son bureau :

– Chut! dit-il, un doigt sur les lèvres.

Puis, comme un enfant qui a fait un beau dessin pour votre fête, il alla vers son secrétaire et revint déposer entre nous une épaisse chemise cartonnée.

– J'écris, dit-il.

Malgré nos collections de mots, malgré tous les volumes in-octavo et in-quarto de la bibliothèque, malgré nos révérences de Massabielle, nous étions restées deux petites paysannes et apprendre qu'Adalbaud écrivait était aussi ahurissant que si nous l'avions reconnu sous le maquillage du clown blanc jonglant avec des œufs sur la piste du cirque Gambit-Desbosques. Ce fut encore plus affolant quand il nous eut dévoilé le titre de son ouvrage.

« Le dreyt nien ».

« Le pur néant ».

Dépassées, les petites, muettes, suffocantes, bouche ouverte comme les carpes quand on vide l'étang.

« Le dreyt nien »...

Sur le chemin des étoiles, quand on le croyait mort et qu'on portait son deuil, Adalbaud avait dû croiser, chevauchant une sphynge aux seins superbes, le premier de nos troubadours, grand chevalier, grand trompeur de femmes – et accessoirement grand-père de la peu banale Aliénor –, Guillaume septième comte de Poitiers et neuvième duc d'Aquitaine, lui qui osa écrire :

« Farai un vers de dreyt nien ».

« Je ferai une chanson du pur néant »...

– Ce n'est pas parce que « l'essentiel est invisible pour les yeux », continua Baba en parlant comme le renard de Saint-Ex, qu'il faut renoncer à le voir. Au contraire. Il faut chercher le visible de l'invisible. Il faut apprendre à le célébrer. Depuis 1151, nos armes ont accueilli le croissant du Prophète en canton dextre du chef. Il y sommeille depuis huit siècles. Il n'a jamais été une abjuration mais représente l'alliance invisible et muette conclue entre Turcla et Nour ed-Din. Invisible mais gravée dans la pierre. Donc réelle. C'est la fidélité à l'impalpable. La courtoisie à l'état pur. L'amitié entre deux personnes qui ne se sont jamais vues et dont l'existence de la première n'est peut-être qu'une illusion. Un pur néant... cela mérite qu'on s'y attarde, qu'en pensez-vous?

Il détacha le lien de toile qui fermait son manuscrit et l'ouvrit avec tant de gourmandise qu'il nous oublia un bon moment.

Si l'ange ou le démon qui veille sur nous avait à cet instant dévoilé les tablettes de l'avenir et si nous avions su quel serait le destin de ce livre, je crois que nous en eussions éprouvé un immense chagrin. Et pourtant quand, il y a sept ou huit ans, nous l'avons fait éditer, Turcla et moi, nous avons été très heureuses. Les événements dépendent si souvent de l'éclairage que leur accorde la vie. Turcla avait revu tous les textes et je m'étais chargée de la partie photo.

Je suis photographe.

Quand je dis:

« Je suis photographe! » ça fait rire ceux qui m'aiment.

Il paraît que je ressemble au Cid... ou à cette fille, Maria, dans « West Side Story », qui chante : « I feel pretty! »

Je suis sans doute ridicule mais je n'y peux rien.

Je suis photographe.

Et je dois l'être dans mon cœur depuis ce jour-là, le jour où le voile du Temple déchiré, Baba, levant son visage heureux de ses feuillets épars, nous a dit, désignant le Harem sous sa bannière verte :

– Devinez qui a pris cette photo? Eh bien, c'est mon grand-père! Il était photographe.

– Il n'était pas duc? demanda Turcla que tant de

révélations bohémiennes commençaient à troubler.

– Si. Malheureusement. Car c'était un photographe de génie. Il est né le jour de la mort de Daguerre, est-ce amusant? dit-il avec émotion. A la fin de sa vie il était devenu aveugle. Il ne se plaignait pas mais il disait : « Adalbaud, raconte-moi ce que tu vois... Prête-moi tes yeux, raconte! » Alors, parfois, je l'installais devant le Harem et je lui décrivais ce qu'il savait par cœur mais qu'il aimait entendre... « Adalbaud, la jeune reine est-elle toujours aussi belle? le jet d'eau, parle-moi du jet d'eau... » C'est là que j'ai commencé à penser à la célébration de l'invisible.

Quand on est né coiffé d'un heaume d'or taré de front, il est parfois difficile d'accomplir ce pour quoi on est fait. Et ce n'est pas le stupide XIXe siècle qui risquait d'arranger les choses.

Le quinzième duc serait resté dans les ténèbres des oubliettes où le conformisme de sa descendance l'avait précipité si nous n'avions pas eu la scarlatine et si la rencontre avec Clémence dans la Ville rose n'avait pas donné à Adalbaud le courage de prendre la plume et de célébrer le dreyt nien.

Je crois que, sans nous, sans nos oreilles écarlates grandes ouvertes, il n'aurait pas osé rendre hommage au croisé pacifique qui s'en va, en redingote d'alpaga, un jour de mai 1879 pour Le Caire, suivi d'un domestique qu'il appelait son valet de chambre noire car il l'avait initié aux mystères du diaphragme iris et de l'obturateur à rideau.

C'était le dernier cadeau offert à la mémoire du vieillard aveugle qui tâtonnait à travers une nuit sans fin pour retrouver les couleurs du soleil d'Arabie se levant sur le désert.

Le grand-père avait laissé derrière lui une épouse fort capable de se colleter avec le phylloxera vastatrix ou de concocter toute seule sa bouillie bordelaise. J'ai découvert une photo d'elle, en culottes et sarrau, vers 1895, dans les vignes, le visage revêche encore plus revêche d'avoir été « pris » par l'objectif. On doit reconnaître que c'est depuis son gouvernement que les crus de Salavès et de Catusseau sont montés en haut de l'affiche. Saluons!

Nous avions emprunté au maître de chais trois lanternes à acétylène et nous étions parties en expédition à la suite de Baba, très loin, à l'autre bout du château, plus loin que les ancêtres, plus loin que les lavabos, dans l'aiie la plus déshéritée, celle qui n'avait pas l'électricité. Ils l'avaient vraiment foutu à Sainte-Hélène! Au bout d'un couloir à l'abandon où la peinture des murs tombait par plaques comme la peau d'un scrofuleux, où le parquet craquait sous la profanation de nos pas, Baba s'arrêta devant une porte modeste et tira de sa poche une clef qu'il fit tourner dans la serrure.

« Allumez les lampes! » dit-il comme l'aurait ordonné Lord Carnarvon en pénétrant dans les chambres funéraires d'une pyramide. Je m'attendais à voir des chauves-souris s'échapper dans le bruit hideux de leurs membranes poisseuses, mais toute vie était absente de la pièce où nos lampes créaient d'étranges grottes de lumière sourde.

On ne voyait pas grand-chose et Baba nous renvoya dans le couloir appeler par la fenêtre un petit valet pour qu'il vînt déclouer les volets intérieurs.

En l'attendant, nous nous accoutumâmes peu à peu au paysage de la chambre. Excessivement chargé. Et, brusquement, à coups de marteau, le soleil et la vie entrèrent pour la première fois depuis des années, nous découvrant un décor dont Méliès, Nadar et Jules Verne avaient dû accoucher ensemble une nuit de Walpurgis sur le Blocksberg.

Nous retenions notre souffle, épouvantés à l'idée que tant de rêve pouvait disparaître comme ces fresques au secret qui se diluent dans la lumière retrouvée.

Comment avait-on osé occulter un tel trésor? Cette grotte voluptueuse où l'on se sentait déjà sous la tente des bédouins, ces tapis lourds de poussière et d'abandon, ces chasse-mouches, ces chapelets d'ambre et de nacre, ces plateaux de cuivre semblant flotter à quelques centimètres du sol, ces brûle-parfum, ces pots à bec, ces tasses minuscules, ces coussins brodés... et ce petit lit de camp sévère et émouvant qui aurait pu être celui de Savorgnan de Brazza?

Nous nous assîmes tous les trois dessus, comme si nous venions de traverser le Grand Nefoud. Nous étions épuisés par le choc de la découverte.

Quel photographe! Et quel trait! Car souvent, il doublait d'un croquis la photo qu'il venait de prendre.

– C'est lui? demandai-je en désignant, dans un paysage de dunes avec trois palmiers et deux Arabes, un homme, de dos, prenant une photo tandis que, vraisemblablement, avec un autre appareil, le valet de chambre noire fixait la scène.

– C'est lui. Et là aussi, dit Adalbaud en nous montrant un grand portrait barbu et enturbanné.

– Il était beau! fit Turcla, et je pensais comme elle.

– Il était beau et il était un homme rare, poursuivit Baba. Il comprenait que l'on puisse être différent de lui. Alors, on le prenait pour un fou. Il était tout simplement en avance. Quand il disait à ses voisins : « Le sceau d'interdiction est posé sur le Levant mais avant un siècle il aura volé en éclats et nul parmi vous ne se prépare à cette rencontre! », on riait derrière les éventails, on haussait les épaules et on avait tout réglé, à Bordeaux, en disant : « C'est un original! »

Il était revenu de son Grand Tour, comme disait Walter Scott, au bout de cinq ans, à bord d'un bâtiment turc. Les cales étaient lourdes de ses plaques, de ses appareils et des caisses de souvenirs, de bibelots, de meubles, d'épices. Tout un biais de vie... Et tout cela avait fait sourire avant d'être caché, puni, confisqué. Jusqu'à la dernière confiscation. Celle de la lumière.

– On a l'impression, dit Turcla, qu'il a rapporté tout ça pour nous trois, que ça nous attendait aujourd'hui...

Adalbaud était assis entre nous, il entoura nos épaules de ses bras et dit :

– Je crois bien n'avoir pas mis les pieds ici depuis ce jour d'avant-guerre où j'y avais conduit...

Sa voix se brisa sur un prénom comme lorsqu'il avait dit à Turcla qu'elle était douce comme un pétale. Puis il se leva et nous dit :

– Mais vous n'avez pas vu le plus beau!

Le laboratoire.

Je préfère ne pas en parler.

Si j'y entre je n'en sortirai plus.

Je m'en tiendrai au « Vérascope Richard », visionneur stéréoscopique pour plaques, lequel nous donna la comédie. Des palmiers, des dromadaires, des messieurs à casque colonial, des bédouins, des princes à keffieh nous entrèrent dans la tête comme pour une fantasia.

« Fantasia, firman, péri, tantour, chibouk... » je crois bien que ce fut la moisson du jour répertoriée sur nos cahiers de mots.

– Et celui-là?

– Celui-là? Ah! c'est Abd el-Kader.

– Abd el-Kader de la Smala?

– Le vrai?

– Oui. Il était allé le voir à Damas où l'émir finissait ses jours. Ils étaient devenus très amis. On a même prétendu que tous deux étaient francs-maçons... Cette idée m'a toujours séduit. Regardez : le petit théâtre de Palmyre, là, le Krak des

Chevaliers, ça, c'est la mosquée des Omeyyades à Damas avec le minaret de Jésus, le plus haut de l'Islam pour aider Jésus à redescendre parmi nous... Ah! là, ce jardin, cette merveille de bassins et de verdures en sépia, c'est quelque part dans le royaume mystérieux où il a photographié la jeune reine, l'eunuque noir et l'enfant. Il a fait un signe sur tout ce qui se rapporte au royaume ق mais on n'a jamais su de quel royaume il s'agissait. Et je crois qu'on aurait pu poser la question à son domestique, on n'en aurait pas tiré un mot de plus!

– C'est par discrétion qu'ils ne voulaient rien dire? questionna Turcla. (Et elle ajouta :) Je les approuve.

– Tu as raison, dit Baba, c'est ce qu'on appelait la parole donnée.

Le jardin était resté dans le « Vérascope Richard ». On n'avait pas envie de le remplacer par une autre image.

– J'ai toujours rêvé de faire moi aussi le Grand Tour, poursuivit Baba. Et de me retrouver dans :

comme ces princes des Mille et Une Nuits que les Fées et les Génies transportent au bout du monde pendant leur sommeil... j'ouvre les yeux... je regarde, le jet d'eau, le jardin, les colonnes aux arabesques et je sais que je suis arrivé dans le royaume dont il n'a pas voulu révéler le nom. En réalité, il a dû nous le dire... juste avant de mourir, malheureusement c'était en arabe et personne n'a compris.

– En arabe? Il ne s'était pas fait mahométan? s'inquiéta Turcla.

– Non, rassure-toi! dit Baba en riant. Mais il pensait comme Abd el-Kader que la religion est

unique. Il avait erré dans le désert et il s'était
arrêté avant La Mekke où il n'avait pas le droit
d'entrer. Il l'avait regardée de loin, comme
l'avaient fait jadis les démons étonnés par le rayonnement du feu allumé par Abraham. Son guide
bédouin lui avait fait boire une gorgée de l'eau de
Zem-Zem, celle qui désaltéra Agar et son fils...

Je ramassai un livre derrière le petit lit. On
aurait dit qu'il venait de tomber, après une dernière lecture, juste avant notre arrivée.

Je le secouai un peu pour le débarrasser d'une
épaisse couche de poussière. Il était très beau. Je
l'ouvris.

*

Oh! la, la!

– Mais comment a-t-on pu laisser cette merveille
par terre? s'indigna Baba. C'est son Coran!

Les pages s'écartaient devant nous, arabesques
d'or sur jade, pourpre et péridot comme les épis
d'un champ de blé devant le promeneur égaré.

– Vous pouvez nous le lire, mon oncle?

– Hélas non, je vous l'ai dit, je ne parle pas
l'arabe...

Le Coran s'ouvrit soudain, révélant un signet de
soie verte recroquevillé au creux d'une page élue.

– Je me souviens! s'écria Adalbaud. Je reconnais
la sourate! C'est Nour! Il m'en avait fait apprendre
des passages par cœur... Mais vais-je m'en souvenir?

Il s'en souvint, heureusement, et, le livre ouvert
sur des signes qu'aucun de nous ne pouvait déchiffrer, il « énonça » :

– « Dieu est la lumière des cieux et de la terre.
Cette lumière ressemble à un flambeau... et ce

* Au nom de Dieu, le clément, le miséricordieux.

71

flambeau s'allume de l'huile de l'arbre béni, de cet olivier qui n'est ni de l'Orient ni de l'Occident et dont l'huile semble s'allumer sans que le feu y touche. C'est une lumière sur une lumière. » Et grand-père ajoutait, même quand il fut devenu aveugle : « C'est ma sourate, Adalbaud, celle de la Lumière, parce que tu sais ce que ça veut dire : photographier? Ça veut dire : écrire avec la Lumière! »

Une colombe se pose au bord de la terrasse avec un bruit d'ombrelle qu'on referme.

Je ne bouge pas. Surtout ne pas effrayer la messagère aux griffes roses... Je ne bouge pas... pas plus que la jarre très ancienne remontée du fond de la mer où sommeille la fleur de nuit, la fleur qui ne s'éveille qu'après le départ du soleil...

La colombe lisse ses plumes devant moi comme si nous nous connaissions depuis toujours. Puis, sans prévenir, elle s'élève droit au ciel et disparaît, dissoute, dans une incandescence que l'œil ne peut supporter.

Pourquoi la foi choisit-elle ceux qu'elle frappe? Pourquoi pas moi?

Je n'ai vu qu'un oiseau grec montant dans la lumière... pourquoi ne suis-je pas tombée à genoux?

Ce doit être une telle fête de croire.

De cette fête je sais que je suis exclue depuis le jour où j'ai vu Turcla, petite fille, priant dans la chapelle de Massabielle. Partie, Turcla. Conviée à un bal dont je n'entendais pas la musique. Pourquoi? Et on me demandait de faire semblant d'entendre le chœur des anges? Je n'avais même pas le droit d'être sourde? Il fallait mentir pour avoir l'air sincère?

Si j'avais su que le péché était à l'agonie, qu'il jouait les prolongations avant d'être lui-même excommunié, j'en aurais profité davantage du pauvre péché, au lieu de m'énerver devant les petits

Jésus en sucre, les sacrés-cœurs dégouttant de sang et les lys à gerber.

Un jour, j'ai tout lâché à l'abbé Pousse :

– Dieu mérite mieux que ça!

– Vous avez raison, Gabrielle. Je compte sur vous.

– Sur moi?

J'ai vite repris mes esprits. J'ai précisé :

– Je voulais dire : « Dieu mérite mieux que ça, *à supposer qu'il existe*! »

Un grand rire catalan a retenti et l'abbé, qui ne tutoyait jamais les élèves, m'a dit :

– Allez, va, Gabrielle! et en paix – si tu le permets!

Qu'est-il devenu, mon confesseur aux grands pieds? Et Mlle Lafosse? Et Robespierre? Où sont-ils, ces gens qui passèrent dans notre vie, déposèrent un peu de terreau ou de vitriol autour de nos jeunes rameaux et puis sortirent de scène pour n'y plus revenir?

La seule que j'ai retrouvée, c'est Sœur Rugby. Le feu avait pris à la maison de retraite des religieuses où elle finissait sa vie et, pendant les travaux, on avait relogé quelques pensionnaires dans un hôpital de Bordeaux.

C'était Turcla, bien sûr, qui m'avait appris tout ça par un coup de fil à Nogarède où j'étais venue passer quelques jours avec Karl.

La sœurrr.

Elle est là, avec d'autres religieuses. Les pauvres femmes ont eu une grande frayeur, me dit-on...

Mais comment reconnaître le colosse qui nous donnait des coups de genou dans le derrière, le demi de mêlée qui nous faisait valser comme des fétus? Il n'y a ici que quatre petites vieilles posées comme des pots de fleurs au pied de leurs lits. Quatre petites vieilles au regard vide, aux pieds joints dans des charentaises. Quatre petites vieilles dont les mains ne sont plus que des torsades de veines serrant des chapelets uniformes. Je cherche à retrouver le visage disparu dans le flou du temps. Envolées, les cornettes, il n'y a plus que de pauvres petits chignons couverts de toile blanche.

Soudain quelque chose bouge dans les yeux vides sur lesquels je me penche. Et je la reconnais. Au fond des prunelles bleu délavé passent les farandoles d'autrefois. Volées de cloches, Noël, Pâques, des filles joyeuses malgré l'uniforme de deuil courent le long des couloirs. Fous rires, gros chagrins consolés par la tartine de beurre au sucrrre...

Elle m'a pris la main, elle s'agrippe... Ce doit être un sourire, ce gémissement, des larmes bougent à sa paupière nue, elle fait un effort terrible...

– Petitoune...

Le regard qu'elle lève sur moi est un regard de mère. Elle ne sait pas si je suis Gabrielle, Turcla, Jeanne ou Madeleine, mais toutes ses filles viennent d'entrer à ma suite. Je défais mon sac de bonbons et les sœurs me regardent comme si je délangeais le petit Jésus. Je tends le bonbon bien mou, – les louves nourricières ont perdu leurs dents – et, à chacune, me sentant tout à fait misérable, je donne à mon tour le consolamentum. Elles ne mangent plus, elles tètent. Rester. Rester aussi longtemps que je pourrai refouler mes larmes... Une conne est venue et leur a dit :

« Eh bé, les mémères, on est gâtées, aujourd'hui! »

Elles ont fait oui de la tête. La sœur me tenait la main comme un petit enfant qui a peur. J'ai embrassé ses veines et je lui ai promis qu'elle irait au ciel, ce qui était gonflé parce que j'y croyais moins que jamais en cet instant.

Je ne voyais que la face injuste du destin. Je pensais, devant ce naufrage, à la belle mort de mon père, et j'en venais à m'en réjouir. Je me disais : la meilleure part, c'est pouvoir mourir comme il est mort, un matin de mai, face à ses vignes, assis sur les marches que le soleil commençait à réchauffer, là où tant de fois il nous avait appris ce qu'il savait, transmis ce qu'il aimait.

Il a dit à Karl :

– Regarde la vigne !

Mais il ne le lui a pas dit en français. Depuis quelque temps, il s'était recroquevillé dans la chaleur de la langue matricielle, il le lui a dit en patois :

– Gueïta la bigne !

et cela devenait un testament, cela prenait une signification symbolique. Il lui léguait sa raison de vivre et, posant sa main pour la dernière fois sur celle de Karl, il lui passait son tour de veille.

Une des sœurs fit tomber son bonbon et je lui en dépiautai un autre en pensant que c'était peut-être Robespierre qui était là, fragile, à ma merci, et que je l'avais haïe pendant des années.

Depuis le terrible jour où nous fûmes chassées, Turcla et moi, de l'univers heureux qu'Adalbaud avait inventé et exploré pour nous. C'était sept mois et cinq jours après la scarlatine, un mardi matin, à la fin de la récréation. Robespierre est venue, royale, vers Turcla dans un grand envol de jupes sombres et lui a dit :

« Mademoiselle de Salavès-Catusseau, allez chercher vos affaires, votre oncle vient d'être rappelé à Dieu. »

Comme ça. Plein la gueule. Sans anesthésie. Rendez-vous au cimetière. Marche droit, Dieu a choisi pour toi le but de la promenade.

Turcla a tendu les bras vers moi avec un grand cri muet et j'ai tendu les bras vers elle et il n'y avait plus que notre peine géante au milieu de la cour de récréation et des filles ricanantes devant une telle exhibition et de si riches larmes.

– Dominez-vous ! avait sifflé Robespierre.

Dominer quoi ? Dominer qui ? alors que nous avions, une fois de plus, confirmation de la mort de notre mère dans cette nouvelle trahison de la vie? alors que nous partagions notre premier chagrin d'amour et l'épouvante du jamais plus?

On m'a arraché Turcla, on l'a entraînée, et comme je voulais la suivre, Robespierre m'a retenue en saisissant mon bras. Quelle force! La main du Commandeur ne devait pas peser plus lourd, ne devait pas dégager plus de glace. Je l'ai regardée et il n'y avait aucune pitié au fond des yeux clairs.

« Ce deuil ne vous concerne pas, mademoiselle Nogarède, vous n'êtes pas de la famille, que je sache? »

Juste ce qu'il faut de mépris, presque un sourire.

« Si Monsieur le duc avait souhaité vous avoir auprès des siens, il nous l'aurait fait savoir. »

J'avais promis à papa de ne pas me faire renvoyer. J'ai obéi.

Dans la haine.

Enfin, je crois. Je ne sais plus... Je regarde la vieille main dans laquelle je viens de déposer un nouveau bonbon. Je regarde la pauvre alliance de grossier métal que portent celles qui furent les fiancées du Christ... même si c'est Robespierre, il est trop tard pour échanger autre chose que des caresses, il est trop tard pour se servir de mots. On ne peut plus qu'aimer en bloc.

Mais quel chemin pour en arriver là!

Un rayon de soleil se pose sur mon pied nu comme le scalpel d'un laser. La nature, sous mes yeux, est si belle qu'elle semble me dire :

« Regarde! Oublie! »

Je regarde et rien ne peut me faire oublier pourquoi je suis là, pourquoi j'attends. Qui j'attends.

Alors j'avance au bord de la terrasse au-dessus des rochers et des flots de Phos la lumineuse et je crie ton nom.

Igor

Je voudrais me coucher sur le sol comme tu m'as appris à le faire, en capter les forces, me relever guérie, rayonnante.

... la première fois c'était au-delà du cercle polaire, dans la baie de la Madeleine, tu m'avais doucement allongée sur la roche effritée en prenant bien soin de ne pas blesser les plus petites, les plus courageuses fleurs du monde. Et toute la force arctique montait en moi...

Hélas, le poids de ton corps me manque pour retrouver le contact avec la terre. Et l'odeur de ton corps. Et la chaleur de ton corps.

Tu disais : « N'aie l'air de rien, les pingouins nous observent », avec des intonations d'agent secret dans un film B. Je riais. Tu avais continué, tes lèvres chatouillant mon oreille, que ces pingouins devaient être des pingouins soviétiques. Tu prétendais avoir capté une conversation sur l'iceberg – en morse, bien sûr! Je riais. Je n'arrêtais pas de rire depuis que je te connaissais. Les pingouins du K.G.B. disaient que notre mariage était sûrement bidon : « Voyons, est-ce qu'on fait son voyage de noces au pied du Spitzberg? En plein jour! »

– Crois-tu qu'ils sont cons, ces oiseaux! En plein jour? Évidemment! C'est pour mieux te voir, mon enfant!

Je riais.

Il y avait de quoi.

– Est-ce que ça t'ennuierait, Gabrielle, de me suivre au bout du monde?

– Où c'est ça, le bout du monde?

– Une surprise!

On avait pris la ligne régulière Oslo-Bergen. Ensuite un avion à skis nous avait déposés au pied du glacier. Puis il était reparti et tu avais dit :

– Enfin seuls!

C'était vrai. Seuls au bord de l'eau transparente et glacée, seuls dans la petite tente géniale, seuls sous l'astre absolu. Seuls. Ivres de nous. Au bout de trois jours, les pingouins du K.G.B. étaient passés à l'Ouest et mangeaient dans nos gamelles.

J'étais noire comme la nuit absente.

J'étais bien. J'étais avec toi.

Et un jour, le quatrième je crois, mais va savoir si c'était le soir ou l'aube avec cette lumière perpétuelle, ce coup de soleil de minuit permanent, un jour tu as dit :

– On a de la visite!

La visite, c'était un grand bateau blanc qui glissait sans bruit sur les eaux turquoise. Chaloupe à la mer. Tout le monde sur le pont, moi épatée, toi très calme. Ton plan se déroulait. La chaloupe venait vers nous avec ses jolis marins. « Mermoz ».

– Bienvenue à bord, a dit un commissaire brodé d'or en me tendant la main.

Épatée, j'étais. Encore plus en découvrant mes robes dans la cabine et, par là même, toute la merveilleuse préméditation dont tu étais capable.

La vie inimitable, Igor.

Un bruit de fusillade a précédé notre rencontre. La guerre des Six Jours venait de finir, ce bruit de fusillade n'était pas celui du combat mais le cliquetement de l'actualité, le déchaînement de dizaines d'appareils semblables à des insectes géants qui s'affrontent à coups d'élytres et de mandibules pour déchiqueter l'événement.

Un magma, une gelée de photographes se dispute

un espace où la moitié des personnes présentes tiendrait avec peine. Chacun pour soi. Le struggle. Je ne vois rien. Je grimpe sur une jarre providentielle, je me cale contre le mur, des généraux imberbes, borgnes, bronzés et vainqueurs viennent vers nous, à moi les belles images! Malheureusement, je perds l'équilibre et le talon droit de ma botte s'enfonce dans une épaule.

Ton épaule.

Tu te retournes, tu gueules, tu m'empoignes, tu me cueilles sur ma jarre, tu me poses brutalement sur mes deux pieds.

Et je te reconnais.

Pour la première fois de ma vie je me sens petite devant quelqu'un.

Quelqu'un qui m'insulte en hébreu et, si je ne comprends pas les mots, je comprends que ce n'est pas aimable.

– Merde aurait suffi, ai-je dit.

– Tiens, une concitoyenne!

Tu me regardais. De haut. Tu t'amusais. Je me croyais furieuse. J'étais au désespoir.

– Premier reportage chez les grandes personnes? as-tu demandé.

– Oui, Meussieu, ai-je dit.

– Et vous êtes française?

– Ça s'entend pas?

– Si! mais ça ne se voit pas! Je vous ai parlé hébreu parce qu'on est ici; en réalité vous avez l'air arabe.

Je me disais: pas de chance! Je ne savais pas que je volais dans la chance comme une hirondelle dans le ciel bleu.

Dieu que tu m'énervais!

J'aurais tant voulu te rencontrer autrement. Et je restais là, boudeuse, idiote. J'ai senti avec horreur que je rougissais et je crois bien que je n'avais pas rougi depuis ma chute à Catusseau à travers le monocle de Baba.

Tu souriais, toujours très à l'aise, les généraux étaient passés, tout le monde s'en allait, toi aussi. Tu m'as demandé :

— On est descendue au « King David », comme tout le monde, ou on dort sous la tente avec les bédouins ?

— « King David », ai-je dit, indignée de bafouiller.

— Alors on se reverra ! as-tu prophétisé gaiement.

Et puis tu es parti.

J'ai ramassé mes affaires. Une boîte avait roulé au fond de la jarre et s'était ouverte, j'avais claqué la boucle d'une bretelle, perdu une pince, j'étais morose.

— Le prénom ?

Tu étais revenu. Tu me demandais comment je m'appelais. Tu te penchais vers moi et j'ai respiré l'odeur de ton corps pour la première fois et pour toujours. J'ai dit :

— Gabrielle.

Tu as répété : « Gabrielle » et j'ai trouvé que c'était beau. Surtout quand tu as ajouté en me regardant tout entière :

— Bien sûr !

J'étais partie comme toujours en jeans et en battle-dress. Quand je dis « comme toujours », j'anticipe un peu. Si ce reportage n'était pas mon premier grand voyage à l'étranger, je n'en étais encore qu'aux débuts. Pour la première fois j'avais cédé aux prières de Glinglin et emporté une de ses robes du soir en maille de soie si fine qu'elle aurait presque pu tenir dans un rouleau de pellicule. Glinglin me disait toujours :

— Quand tu pars photographier même la guerre, même l'horreur, même la mort, pense que tu peux être priée à dîner par le prince-évêque, le padischah ou la maharani.

En Israël, je ne risquais pas grand-chose de ce côté-là mais j'avais voulu lui faire plaisir.

J'avais bien fait puisque je venais de te rencontrer. Je n'avais pas encore compris ce qui m'arrivait. Qui peut dire : « Tiens, j'ai la varicelle! » quand il rencontre la maladie? Un peu de fièvre sur le front, un peu trop de lumière dans le regard... Ta légende m'importait peu. Tu traînais déjà à cause de tes origines, de ta témérité, de ta stature, tout un folklore dont tu te serais bien passé. Mais que peut-on contre sa propre image? 1,93 m. L'œil céleste par beau temps, noir en cas de tempête, tu avais l'air d'un géant descendu de la montagne pour changer les choses sur la terre. En regardant tes photos, en entendant parler de toi, je pensais que ça m'était indifférent que tu sois beau. Ce qui compte, ce n'est pas la gueule du photographe mais la façon dont il voit, dont il nous aide à voir, fût-il un petit bossu.

Je ne saurai jamais si j'aurais aimé le petit bossu... Mais toi!

Aussi étais-je heureuse et cousue d'espérances en entrant dans la salle à manger du « King David » ce soir-là.

Tu dînais avec une fille.

Tu m'as souri, fait un petit geste de la main comme à un vieux copain. La fille a posé sur moi un œil de veau en double exemplaire. J'ai dîné seule et kascher. Très vite. Pas regardé de votre côté. Puis je suis remontée, j'ai jeté ma robe par terre, petit tas safran et désolé, j'ai remis la tenue de campagne et je n'ai pas pu sortir de l'hôtel et marcher dans la ville pour des raisons, obscures mais impérieuses, de sécurité.

Le lendemain, je reprenais l'avion à l'aube avec mon plus mauvais reportage et des idées sombres.

J'aurais voulu dormir jusqu'à Paris mais Maxou était assis à côté de moi, ce qui rendait le sommeil improbable. Il avait d'abord entrepris l'ascension d'une superbe Israélienne. Par la face nord, sans doute, car, très vite, elle grogna, voila ses yeux de gazelle d'un loup bleu et lui tourna le dos. Alors il vira de bord et me dit :

– Tu sais que t'es encore plus belle le matin ?

J'ai levé le pouce et hissé le drapeau blanc. Il a ri :

– Bon. D'accord ! C'est pas mon jour !

Maxou... on se connaissait assez peu mais je l'aimais bien. Déjà. Coureur, gaffeur, bégayeur à la moindre émotion, toujours amoureux de qui il ne fallait pas, il était le premier à se ramasser l'urticaire, la colique ou les champignons entre les doigts de pied. Dans les pays à mygales et à scorpions, si on voulait le retrouver vivant le lendemain matin, on avait intérêt à visiter sa chambre avant de le mettre au lit, mais on savait qu'il n'échapperait pas à l'orgelet ou au panaris. Avec les appareils qu'il a perdus, on pourrait ouvrir une boutique. Et les avions qu'il a manqués ! Quand il ne se trompait pas de destination !

Comme nous sommes neufs, intacts dans cet avion de l'aube ! Nous pensons que nous sommes des témoins. Nous croyons encore que les guerres des autres ne nous concernent pas.

Nous sommes jeunes.

Tu ne m'as pas encore sauvé la vie.

Tu t'en souviens, Maxou ? Tu m'as sauvé la vie. N'oublie jamais.

Où es-tu aujourd'hui ?

Aujourd'hui 103e jour de ta captivité au Liban. Je n'ai pas besoin de me lever et d'aller regarder le calendrier. Je sais.

Ils t'ont arraché tes appareils, ils ont lié tes mains, ils ont volé ta liberté.

Écrire avec la Lumière... Terminé. Maximilien Leblond n'a toujours pas été libéré.

Je suis allée boire un verre d'eau à la cuisine. De l'eau que nous allons chercher dans la montagne à la « source des dieux », comme dit Myrîam. Puis je suis revenue sur la terrasse et j'ai pleuré. Tranquillement, comme quand on est seule.

Sur Maxou. Sur l'impossibilité de raconter gaiement son propre bonheur. Car c'est bien de mon bonheur qu'il est question sans que je le sache encore dans cet avion où deux journalistes américaines, coiffées comme des Yorkshire, petit nœud de satin dans les frisettes, viennent demander à Maxou, mutines par-dessus le dossier du siège, si c'est vrai qu'ils sont close-friends avec Igor ? Avec le « Prince » Igor, précisent-elles, grisées comme si elles se vaporisaient de *Bal à Versailles* avec un extincteur. D'abord, est-ce vrai qu'il est prince, le demi-dieu ? Et puis avec quelle bloody salope est-il, le héros ? qu'on la tue cette garce et le plus vite possible. J'écoute les réponses aux questions que je n'aurais posées pour rien au monde. Oui, ils sont close-friends tous les deux. Oui, il est prince. Enfin, sa mère, Catherine Tchetchevitchine, était une princesse russe, d'où ce surnom de « Prince » Igor.

Les Yorkshire jappent de joie.

Mais rien ne fait plus chier le Kniaz, mes jolies, précise Maxou, que de s'entendre appeler ainsi. Igor Martin, fils de Pierre Martin, conservateur des Eaux et Forêts dans le Jura, en France, voilà ce qu'il est.

Quant à savoir avec qui il est, il faut le lui demander car, ajoute-t-il joyeusement, « ça change comme le stationnement dans les rues de Paris ; parfois toutes les semaines, parfois tous les jours » !

Quelques heures plus tard, riche de ces informations déprimantes, je suis passée au journal et j'ai trouvé Igor installé dans le bureau de Turcla.

– Enfin! a-t-il crié comme si j'étais en retard à un rendez-vous.

– Ah! oui, enfin! a dit Turcla, ça fait plus d'une heure qu'il me séquestre!

Complètement irréel.

Et pourtant c'est bien Turcla. C'est bien son bureau avec sa collection de crayons de couleur. Sur les murs je reconnais les vignes que j'ai photographiées et, jeté par terre, le grand sac de daim dans lequel elle transporte parfois des pendules. Elle le ramasse, le pose sur sa table, l'ouvre, y jette une poignée de crayons, un carnet, les petites gaines où elle serre ses deux inséparables, l'« œil de vieux » et la « loupe à l'œil », elle s'agite, elle semble nerveuse... Mais pas fâchée.

– Deux mois! Qu'est-ce que je dis? Trois mois que je la guette, cette collection de barbotines de la princesse Mathilde! C'était ce matin, j'y partais et il faut que je sois prise en otage, chez moi, par ce fou dangereux!

– Vous êtes libre! a dit Igor en lui tendant son grand sac de daim.

Turcla a éclaté de rire, elle m'a embrassée et retenue contre elle :

– Prépare-toi pour le meilleur et pour le pire!

Igor lui a baisé les mains et l'a raccompagnée à la porte de son propre bureau, cérémonieusement.

– Merci, Turcla.

Irréel.

Il m'a regardée. Nous étions si intimidés que nous ne pouvions pas parler.

– Je vous attendais... as-tu dit.

J'ai hoché la tête et j'ai demandé :

– Mais quel avion avez-vous pris?

– Un avion très pratique, m'as-tu assuré.

J'ai acquiescé d'un air entendu et nous sommes restés comme deux inconnus qui attendent côte à côte qu'on dévoile la statue pour les discours.

Comme rien ne se produisait, tu m'as proposé d'aller boire un verre au « Vieux Berlin ».

Aucun souvenir du trajet, couloir, ascenseur, trottoir, pousser la porte, entrer, s'asseoir... des gens. Des gens?

Aucun souvenir.

Toi devant moi, assis. Muet. Et puis ta voix solennelle :

– Qu'est-ce que vous voulez? Du thé, du café, du champagne, de la verveine, une blédine, un pastis?

– Du thé.

– Deux thés!

Tu m'as pris les mains, tu as dit : « Gabrielle », tu as embrassé mes mains, tu les as gardées, tu as dit encore :

– Quelle histoire!

et, tous les deux, on a eu les yeux pleins de larmes.

Alors tu as dit :

– Viens!

On a croisé le thé qui arrivait, tu as glissé une petite fortune dans les mains de la fille, tu lui as dit :

– Merci!

et je t'ai suivi.

Voilà.

J'avais oublié ma moto sur le trottoir devant le journal.

Je t'avais suivi. Chez moi.

Sans me poser la moindre question.

Au fond, on ne se connaissait pas.

Tu aurais pu me déchirer le cœur.

Et alors?

Au pied de mon lit, lentement, nous sommes descendus à genoux l'un devant l'autre.

Tu t'es penché sur moi et j'ai retrouvé l'odeur de Jérusalem.

Découverte de tes mains.

Découverte de tes lèvres.

Il n'y a rien de plus beau qu'un baiser.

Il se referme sur lui-même comme sur un monde clos. Monde clos où tu m'emmènes, me déposant sur le lit, toi l'inconnu qui plus jamais ne seras inconnu. Toi qui entres en ma vie sans pitié. Tendrement. Avec folie. Balayant tout ce qui n'est pas toi. Et qui épelles de tes lèvres chaque coin secret de mon corps pour m'en apprendre le nom. Jusqu'à ce cri qui m'annonce à moi-même...

Igor, toi que j'ai rencontré puisque tu me quittes... Encore humide de moi tu me regardes. Oui, regarde, je suis en train de naître sous tes yeux, sous tes doigts puisque maintenant tu caresses mon visage, pour me posséder dans toutes les mémoires. J'ai caché ma tête au creux de ton épaule et j'ai pensé que je voudrais y rester toujours. Alors tu as dit :

– Résumons-nous...

Et j'ai ri, j'ai ri.

Éclatée de joie, les bras ouverts, je ris en stéréo, en panavision, en scope, en dolby, je ris! Et tout ce qui fut gai et heureux au cours de ma vie accourt pour se fondre dans mon rire. Et c'est là que je pense pour la première fois à ma moto, ma pauvre moto toute bête et penaude sur son trottoir. Et je ris!

– J'ai oublié ma moto dans la rue!

– Tu roules en moto?

Tu étais tout attendri.

– Turcla a oublié de me parler de la moto! Pourtant elle m'en a dit des choses, la malheureuse! Karl, Baba, papa! et puis : « Jam to-morrow and jam yesterday – but never jam to-day. »

Des larmes de joie coulent le long de mes joues. Mais je ne sais plus si ces larmes sont seulement des larmes de rire quand tu me dis :

– Je vais étaler sur ta vie une énorme couche de confiture!

Je ne pourrai plus vivre ailleurs que dans ces bras qui se referment sur moi. Je ne pourrai plus être seule...

Oh! oui, encore... Mon Dieu, hier, on ne se connaissait pas! Et on se retrouve. Et tout est encore plus ravageant que la première fois car l'effet anesthésiant de la stupeur se dissipe et révèle l'exactitude du plaisir partagé jusqu'à la douleur. Et tu découvres, imprimé entre mes seins, le tracé de la croix qui ne te quitte jamais. Tu dis :

– C'est très beau... j'espère que la marque restera...

et tu poses tes lèvres au cœur meurtri de la croix comme un baume. Puis tu demandes :

– A propos, ça ne t'ennuie pas qu'on se marie à l'église orthodoxe?

Je t'ai regardé d'un œil fixe.

Se marier?

Je restais pétrifiée, ne songeant même pas à répondre puisque c'était d'accord, bien sûr.

Se marier.

Je regardais la mince cicatrice sur ta tempe gauche et je l'aimais. Je ne savais pas encore que tu étais tombé d'un prunier le jour de tes sept ans mais, déjà, à cause de cette petite griffe blanche et satinée, je voulais tout connaître de toi.

Oh! moments fabuleux où l'on s'apprend l'un et l'autre. Découverte d'un petit garçon, découverte d'une petite fille qui vont partager leurs jouets cassés, trajet magique de deux enfances révolues qui se nouent, fils fragiles, pour tisser une nouvelle histoire avec les couleurs de l'avenir.

Mais les mots viendront plus tard sous-titrer les images. On a la vie devant soi, on va se marier, c'est bien ce que tu as dit?

L'amour, c'est vraiment l'accident.

On marche, tranquille, dans la rue de tous les

jours et puis, brutalement, voilà qu'on se cogne à l'imprévisible et on reste sur le carreau avec ses petites habitudes éparpillées autour de soi.

Deux heures plus tard, toujours sous le choc, incapable de me relever, seule sur mon lit, je regardais la porte se refermer sur toi.

J'étais amoureuse, fiancée, effarée, comblée, ahurie et provisoirement abandonnée.

Tu partais pour le Pakistan le soir même. Un reportage de huit jours.

A peine sorti, tu as sonné.

J'ai bondi avec une énergie dont je ne me soupçonnais plus capable, tu m'as pris la main et tu as dit :

– Je sais, je vais un peu vite, mais je ne pouvais pas agir autrement... tu verras, je suis quelqu'un d'assez bien.

Puis tu t'es écarté de moi et la maison a tremblé pendant que tu descendais les escaliers.

J'étais probablement toute nue sur le palier. Quelqu'un m'a peut-être vue ? Ça m'était égal. Ça m'est d'ailleurs toujours égal. Je vivais un moment d'une dignité absolue. La confiance me revêtait mieux qu'un manteau. Je savais que dans huit jours Igor serait de retour en France et que sa première visite serait pour moi.

Ce en quoi je me trompais.

Le cinquième soir qui suivit son départ, à 23 h 17 très exactement, je reçus un coup de téléphone.

– Je peux ?

Je ne compris pas tout de suite qu'il était rentré plus tôt, qu'il était à Roissy, qu'il voulait venir.

Le ménage n'était pas fait. Il n'y avait rien à manger. Si, des nouilles de la veille. Un petit pot de caviar, du pain un peu dur, pas de citron.

Heureusement, côté vin, papa et Karl avaient gardé la main lourde. Ils venaient de m'envoyer un carton de Monbousquet.

Saint-Émilion, faites que le monsieur m'aime toujours!

J'ai vécu trente-deux minutes en accéléré.

Se laver la tête, éplucher une vieille salade, passer l'aspirateur, allumer des bougies, mettre le couvert, étaler hypocritement le dessus-de-lit, se glisser dans une gandoura... il a sonné comme je déposais une goutte de parfum au creux de mon coude.

Pliée en deux brusquement. C'est le seul moment où j'ai eu peur. A cause de l'imminence du bonheur.

Je suis allée à la porte. J'ai respiré comme avant de plonger. J'ai ouvert...

– C'est bien la même, a-t-il dit, plié en deux lui aussi comme si, au dernier moment, il avait craint d'entendre : « Gabrielle n'habite plus ici. »

Je l'ai tiré dedans avec ses sacs, ses appareils, son barda de photographe et nous avons déposé tout ça dans l'entrée, précautionneusement. En silence. Puis nous sommes restés, debout l'un contre l'autre, immobiles, longtemps, jusqu'à ce qu'il dise dans mes cheveux encore humides :

– C'est toujours d'accord?

Je me souviens de cette première nuit avec Igor seconde par seconde, détail par détail, dans une lumière parfaite.

Tout au moins je le crois. Car peu à peu, comme le sable recouvre dans le désert une ville abandonnée, l'oubli escamote des moments que nous avons crus éternels et nous vole des souvenirs sans que nous en soyons conscients.

Alors, régulièrement, je fais l'inventaire comme une ménagère soupçonneuse, je compte les baisers comme des cuillères en vermeil, je fais briller les moments forts comme des pièces d'argenterie. Passagère magique et invisible, je me glisse dans le passé pour me voir dans les bras de cet homme qui veut m'épouser à l'église orthodoxe et qui me raconte pourquoi à longueur de nuit. La tête sur son épaule, j'écoute l'Histoire des princesses Hélène et Catherine. Je m'endors en me croyant à Belles-Fontaines dans leurs terres sans limites...

Comment dit-on Belles-Fontaines en russe? Igor rit. On dit : Belles-Fontaines et la famille est très fière de ce nom français. Les belles fontaines – qui sont des sources – sont au nombre de sept. La septième est fée. Toujours mobile comme un feu Saint-Elme, changeante, capricieuse, fantasque, elle déménage chaque hiver et il faut la retrouver au printemps comme un œuf de Pâques dans la mousse.

Bouleaux, bruyères, blés et rivières... tout leur est compté, tout leur sera repris et au-delà... Raconte encore! parle-moi de ton petit oncle Paul Alexandrovitch qui est mort à neuf ans d'une pneumonie à Prinkipo, l'île des Princes, un soir de tempête...

Raconte encore, mon amour, raconte... « mais l'aurore dont la clarté commence à paraître » vient nous interrompre et chaque matin nous rend à la réalité comme Schahriar et Schéhérazade, à cela près que c'est le prince qui déroule le fil du conte et que nulle prémonition ne nous fait deviner l'ombre du cimeterre dans un coin de la chambre. Au long des nuits, à travers une broderie de caresses, de soupirs, de baisers et de songes, Igor raconte jusqu'à ce que le petit garçon qu'il a été ait ramené à la surface, du fond obscur du puits, le seau débordant de l'eau merveilleuse du souvenir.

Il a tout de suite voulu que je vienne vivre chez lui. Un dernier étage à deux niveaux tout en haut de la colline de Chaillot. Plein vent. Sur la terrasse, pris dans une terre brune et pulvérulente, serré dans des bruyères et des rhododendrons, un petit bois de bouleaux. Il me les a tous présentés. Le blanc, le noir, le gris, le pleureur, le bouleau de Carélie et, son préféré, le bouleau de fer.

– Je te dirai pourquoi...

Ils étaient plus petits que lui : j'avais envie de les embrasser! Un moineau se posa sur une branche et se balança, voyou.

– Tu comprends, moi, je peux me promener dans ton enfance. Le décor en existe toujours. Mon enfance à moi, il faut vite que je te la raconte avant qu'elle ne s'enfonce dans l'oubli... viens voir!

Dans sa chambre, à la place d'honneur, au-dessus d'une commode à gros ventre, une aquarelle.

Sans être jamais allée à Belles-Fontaines, je reconnus aussitôt la longue demeure blanche, son péristyle à colonnettes sous un fronton de marbre, ses prairies et ses arbres.

C'était signé Marie Moissonnier, 1893.

– Marie était la fille aînée de l'architecte paysagiste qui a refait nos jardins. Ces Moissonnier étaient une véritable dynastie. Les Le Nôtre de la fin de l'époque des Tsars. Ils sont arrivés chez nous en même temps que le chemin de fer et sont restés des années. Les enfants étaient élevés ensemble. En russe et en français. Marie parcourait la propriété avec ses couleurs et ses pinceaux, plantait son chevalet, posait son pliant... regarde, j'ai des cahiers entiers de croquis... les sources, les moissons, la neige... un bal! et là! on baptise les chevaux avec du champagne! et puis les bouleaux, les bouleaux, les bouleaux! Marie suivait son père partout, notait les plantations, le tracé des allées, la croissance des arbres...

Il ouvrit une boîte de malachite et en sortit un papier :

– Son œuvre la plus précieuse, dit-il.

C'était un vieux bout de papier, usé, froissé, déchiré. A force d'être passée, son encre était devenue café crème, mais on pouvait encore lire :

Mademoiselle Marie Moissonnier
1 rue Thiers
Belfort
(France)

C'était l'adresse qu'elle avait laissée à la jeune et radieuse princesse Hélène, quand les Moissonnier, vers 1911, avaient définitivement quitté la Russie.

C'était l'adresse vers laquelle, des années plus tard, Hélène et sa fille allaient marcher, les pieds dans leurs dernières chaussures, avec un livre de cuisine russe et des bijoux non négociables dans un cabas de ménagère.

Bijoux non négociables mais non pas faux, que je vis ce jour-là pour la première fois. Hélène avait appris, chez un joaillier d'Istanbul, qu'elle était partie avec les copies des pièces authentiques. Copies qu'elle refusa de vendre en entendant cette phrase :

— Ces bijoux n'ont qu'une valeur de souvenir.

Je les trouve si beaux que je pense que les vrais m'auraient moins plu.

Igor prend un diadème et le pose sur mon front. Je nous vois tous deux, réfléchis par le verre de l'aquarelle, immenses figures planant sur le paysage...

— Esprit Fidèle... a dit Igor.

— Esprit Fidèle?

— C'est un des noms de Gabriel dans le Coran. J'ai vraiment cru l'avoir rencontré à Jérusalem, quand je t'ai vue... et le soir! Dans la salle à manger! Tu traverses l'espace, grand ange sarrasin en robe safran, tu t'avances vers moi de ta démarche de créature ailée...

J'éclate de rire.

– Et la fille? La fille qui était avec toi? C'était quoi, comme ange?

– L'ange du dernier soir. Avant, il y avait des filles, maintenant il y a toi.

Il rit à son tour :

– Tu sais ce qui m'a donné confiance? Ta tête de close-combat quand tu l'as vue, cette pauvre fille!

– Moi, j'ai fait une tête de close-combat? Fais voir comment c'est, une tête de close-combat! Oh! que c'est laid! Oh! que j'ai peur!

Nous sommes tombés sur son lit, j'avais le diadème un peu de travers mais je ne l'avais pas perdu.

– Embrasse-moi puisque c'est la première fois! dit-il.

– La première fois?

– La première fois que tu tombes sur mon lit. Monsieur mon lit, je vous présente celle qui va être Madame ma femme, j'espère que vous vous plairez!

On est deux, on est bêtes et c'est bon.

– Garde ton diadème, il te va très bien... tu devrais le porter quand tu roules en moto!

Je l'ai quand même quitté, le temps de faire connaissance avec Monsieur notre lit. La tête sur l'oreiller, je voyais la petite forêt sur la terrasse. Igor m'entoura de ses bras pour finir son histoire. S'il aimait tellement le bouleau de fer, c'est parce qu'il avait marié ses parents.

– Quand ma mère et ma grand-mère sont arrivées à Belfort, chez Marie, elles n'ont pas trouvé la richesse. L'emprunt russe – une valeur de tout repos – était passé par là. Heureusement, maman est tombée malade.

– Heureusement?

– Pour remercier le docteur qui la soigne, ma grand-mère sort son livre de cuisine et lui fait des gâteaux. Il se trouve que, le lendemain, la femme du docteur reçoit ses amies, elle leur offre oladi et korjiki : « Faits de la blanche main d'une authentique princesse ! » déclare cette imbécile – louée soit-elle pour sa vanité, car, six mois plus tard, toute la société belfortaine s'arrache blinis, pirojki, zakouski, bortsch et vatrouchka. Grand-mère ne sort de la cuisine de Marie que pour aller passer ses commandes, choisir un brochet, planter de l'aneth dans un jardin ami. Ou pour accompagner sa fille dans de longues promenades en forêt. Car les trois femmes vivent toujours dans le culte des arbres comme autrefois en Russie.

– Ta maman ?

– Blond foncé, très mince, assez secrète... il paraît que j'ai ses yeux. Une fausse douce, si tu vois ce que je veux dire ? Une vraie tendre. Toujours première en français au lycée. Livrant la marchandise en ville. Recevant des pourboires...

Un jour, la jeune fille revient d'une campagne où elle a livré le krendel enrubanné pour un baptême. Elle traverse une forêt à bicyclette, et soudain voit un jeune homme, très grand, qui soigne un arbre. Elle s'approche, s'arrête, regarde.

Le jeune homme la remarque, timide, attentive, muette. Ils se sourient. Il lui explique que cet arbre a été malade et qu'il lui met régulièrement des cataplasmes de goudron. Il est content car, aujourd'hui, l'arbre va beaucoup mieux.

– Nous l'appelons un Железная берёзка en russe, dit Catherine.

– Vous êtes russe ?

– Je vais bientôt être française, répond la jeune fille qui ne se doute pas à quel point elle dit vrai.

– Un... ?

– Железная берёзка

– Bouleau de fer ?

– C'est ça !

96

Alors il lui demande si elle veut bien lui apprendre les noms russes des arbres.

Peut-on refuser un si petit service à quelqu'un qui panse les blessures de vos amis?

Le jeune homme se défend d'avoir le moindre mérite. Il vient d'être nommé conservateur des Eaux et Forêts. C'est son métier. Mieux que ça : c'est sa vie.

C'est aussi le sésame qui lui permettra d'être reçu 1, rue Thiers :

« Eaux et Forêts. »

« Вода и леса. »

C'est comme s'il était présenté par les sources et la sylve perdues.

– Ils se marièrent, furent heureux et eurent un très grand petit garçon, conclut Igor.

Je me serre contre lui et je pense qu'il faudrait être une sacrée garce pour hésiter à le suivre à l'église orthodoxe.

Nous nous sommes mariés aussi vite que possible dans la petite chapelle de bois de la rue de Crimée.

Il y avait des fleurs mauves et jaunes dans le gazon du jardin. Des fleurs que je n'avais jamais vues et qui ne devaient répondre qu'à des noms russes.

Igor me les apprendrait.

Des pères dont les longs cheveux blancs se mêlaient à de longues barbes nous attendaient sur le seuil. Brodés d'or et d'archanges, ils semblaient sortis d'un reliquaire pour le temps de la cérémonie. Ils posèrent sur nous un regard d'enfant et nous montrèrent le chemin. Dans l'ombre de l'iconostase, des créatures invisibles se mirent à chanter des beautés d'autant plus émouvantes qu'elles étaient incompréhensibles.

J'ai quand même compris que la servante de Dieu Gabrielle unissait sa vie à celle du serviteur de Dieu Igor, et cela pour l'éternité.

Je ne croyais pas en Dieu.

Mais je croyais en Igor et, avec lui, aucune éternité ne me faisait peur. Ni l'éternité de la vie terrestre. Ni l'Éternité tout court, si je puis me permettre.

Le dépaysement orthodoxe m'aidait à supporter ce qui m'aurait exaspérée dans l'église de mon enfance. Et puis c'était superbe. Et nous étions superbes. Je peux bien le dire puisque c'est vrai. C'est même rigolo parce que si Glinglin avait eu à ce moment-là davantage de moyens, s'il m'avait fait une vraie robe de mariée, en vrai beau tissu comyfaut, au lieu de me bricoler ce carcan insensé fait des perles de neuf lustres achetés aux Puces, cette robe, parlante et tintinnabulante à chaque pas, à chaque respiration, cette cascade de verre qui continuait les pendeloques de la tiare, eh bien, aujourd'hui, il n'aurait pas un immeuble de trois étages avenue Montaigne.

Nous étions très peu nombreux et, à part les garçons d'honneur choisis parmi les plus gigantesques héritiers de la colonie russe de Paris, à part trois ou quatre paroissiennes nées dans l'Oural ou sur les rives de la Caspienne bien avant la révolution d'Octobre, seul le marié était orthodoxe.

Papa et Karl, comme moi, préféraient cet exotisme aux cérémonies attendues de l'église catholique, apostolique et romaine. Jean et Glinglin étaient si bien élevés et si émus qu'un sacrifice humain sur l'autel de Baal leur aurait paru adorable. Quant à Turcla, où qu'elle se rende, où qu'elle se trouve, elle ne se déplaçait jamais sans Dieu.

Malgré la taille des garçons d'honneur, Igor dut se baisser quand ils élevèrent les couronnes au-dessus de nos têtes. Nous échangeâmes les anneaux où étaient gravés nos noms en caractères cyrilliques.

« Eh bien, mon prince... nous voilà mariés... » a dit une voix au fond de mon cœur. Alors, à ton bras, à petits pas à cause du fond entravé de ma robe de Tsarine des Puces, je suis allée vers la sortie.

Et là, le choc : une haie, une nuée, une forêt de photographes! Ils s'étaient cachés derrière la petite église et dans les cafés voisins. De vrais professionnels. Du beau boulot. Et nous, comme l'arroseur arrosé, cueillis, K.O. debout, aveuglés, éperdus, découvrant ce que c'est qu'un flash dans les yeux, assourdis par le bruit, les cris, les rires, reconnaissant les amis, les copains. Le métier.

Maxou qui avait tout comploté et qui a perdu son pantalon au moment où le clergé est sorti, Kojiro qui m'avait logée chez sa mère à Tokyo, Paul qui m'avait prêté un rouleau à Kinchassa, j'ai même cru apercevoir les Yorkshire en nœuds de gala, jetant du riz et jappant. Je n'étais qu'une fille en verroterie mais j'étais désormais la femme d'Igor et c'était pour lui que tout le monde était là. Les seigneurs de la profession, les maîtres que je reconnaissais sans les connaître. Et nous, devant eux, pour une fois on posait, bien attrapés, bien contents de l'être et ne devinant pas encore que, le soir même, le lendemain et les jours qui suivaient, la robe en perles allait s'étaler partout, devenir un prototype, un tube, une manne qui ferait tomber le jackpot sur Glinglin comme une avalanche.

Parce que, trois jours plus tôt, pour rire, Jean avait déposé la marque « Merry Day », pendant des années, où que j'aille, j'ai rencontré des femmes qui m'ont dit : « J'ai eu "Merry Day" en parme, en fuchsia, en turquoise... »

Et chaque fois, gling! sur Glinglin.

Ça l'a tellement secoué qu'il s'est fait un calendrier à lui en marge de tous les autres. Il compte avant ou après le mariage comme on compte avant ou après J.-C. Il a d'ailleurs si profondément assimilé l'événement qu'il dit : « Ça, c'était deux ans après *notre* mariage », ce qui surprend souvent ses interlocuteurs mais colle parfaitement à la réalité puisque Igor n'est pas seulement entré dans ma vie à moi mais dans notre vie à tous.

On était tous tombés amoureux d'Igor. En bloc. Moi qui dormais dans ses bras, c'était assez normal. Mais les autres? Mon père, Turcla, Karl, Glinglin, Jean, ses parents? Ils ne l'aimèrent pas seulement parce qu'ils m'aimaient et me voyaient heureuse avec lui mais parce qu'ils l'attendaient. Avec Igor, impossible de débarquer dans l'indifférence. C'est autre chose que d'être célèbre ou de ne pas passer inaperçu. C'est être attendu.

Tiens, même le duc l'attendait. Et pourtant, Sa Grâce avait toujours été du genre difficile à emballer.

Surtout en cette période de sa vie où il avait compris qu'il venait de perdre tout pouvoir sur ses enfants.

Ils s'étaient tirés tous les deux, le laissant seul dans son gros château.

Petit Foulques avait voulu s'en aller le plus loin possible. Mettre des océans entre son père et lui.

– Étudier l'œnologie, cet imbécile! Comme si on ne pouvait pas l'étudier dans nos vignes!

Australie, Californie, Afrique du Sud, tout pour échapper au despote. Il alla même en Chine, jusqu'à Tsingtao.

Turcla, elle, s'était réfugiée dans les objets. Il lui avait suffi de quitter Catusseau pour être délivrée du sortilège qui pesait sur elle : l'adolescente timide et rondelette qui bafouillait devant son père était devenue quelqu'un de vainqueur.

Certains êtres ont un génie pour trouver les champignons ou faire fleurir les orchidées. Turcla, elle, reçoit les confidences des objets. A la première bouchée d'un soufflé superbe qu'on venait de servir sur la colline de Chaillot, je la vis, un soir, se pencher vers le bracelet russe que je portais.

– Attends!

Elle se leva, alla chercher sa « loupe à l'œil », la colla sur le fermoir et me dit :

– Fabergé! C'est signé Fabergé! Il s'est copié lui-même! Admirable!

Après ça, il fallut laisser le soufflé se figer dans nos assiettes, sortir toute la cassette et, les bijoux des Tchetchevitchine étalés sur la moquette, les ausculter un par un, découvrir les poinçons de Saint-Pétersbourg – les deux ancres et la pelle –, apprendre les noms des pierres, du spinelle à l'hyacinthe, de la chrysolithe à la tourmaline, s'attendrir sur le grenat démantoïde, s'extasier sur la kunzite des Indes et l'apatite jaune de Birmanie.

– Quelle gaufre, ce bijoutier d'Istanbul, répétait-elle, le nez sur les dormeuses, les trembleuses et les châtelaines, quelle gaufre de n'avoir pas compris que le génie est plus brillant que le diamant!

Le jour où elle est partie, toute gamine encore, à son rendez-vous pour entrer dans l'équipe de *BEAU* – journal chic sur le chic –, elle m'a dit :

– Si c'est à cause de mon nom qu'ils me veulent, ils vont avoir une grosse surprise.

Trois heures plus tard, elle me montrait son contrat. Elle s'était débrouillée comme un chef côté argent mais la performance était encore plus saisissante côté signature :

« Mademoiselle Sottiche. »

– J'ai été grosse, triste et laide à cause de ce nom ridicule, c'est normal qu'aujourd'hui je me serve de lui! m'expliqua-t-elle. Et puis, regarde comme il est joli quand on l'écrit en bâtarde :

Mademoiselle Sottiche

J'ai confiance.

Elle pouvait.

Quand je lis, quand je regarde ses articles, je crois toujours que Peter va entrer avec le thé dans la cathédrale de livres de Baba et j'espère que de leur paradis d'aviateurs, depuis les étoiles, ils savent que, maintenant, on ne peut pas vendre un cure-dent de la Pompadour chez Christie's, un œuf du cher Fabergé chez Sotheby's sans que leur petite rose de York et de Lancastre soit présente dans la salle ou au bout du fil.

J'étais encore à l'école de la rue de Vaugirard quand Turcla fut engagée à *BEAU*. Elle me fit faire mes premières photos, gagner mon premier argent. Je vécus avec elle pendant deux ans. Jusqu'à ma rupture avec Jean.

Ce mot de rupture est idiot... nous n'avons jamais

rompu puisqu'il n'y a jamais rien eu entre nous.

Un soir, il m'a emmenée marcher le long de la Seine :

– J'ai quelque chose à te dire...

Il n'envisageait pas de m'épouser.

Sa décision m'a éblouie. Moi non plus je n'envisageais pas de l'épouser. J'avais grandi avec cette idée comme avec ces appareils qui vous redressent les dents, mais maintenant que nous n'étions plus des enfants, nous n'allions pas nous marier pour tenir un serment qui n'avait jamais été prononcé. Jamais nous ne serions venus à bout d'une aussi violente fraternité que la nôtre. Si violente qu'il pouvait bien aimer une autre femme...

Justement, me dit-il, justement...

Il y avait peu de chances qu'une femme vienne un jour me remplacer dans son cœur. Il aimait les hommes.

Un bateau-mouche déjà illuminé dans le soir clair passa et des gens nous saluèrent de la main. Je répondis à leur salut.

Il aimait les hommes.

Jean. Mon Jean des sacs de farine et des gros bisous dans le petit bois aimait les hommes.

Debout devant moi, il était beau, il l'avait toujours été. Il l'est encore. D'un même élan du cœur, ensemble, nous avons parlé de sa mère. Il m'a prise dans ses bras et les gens qui nous voyaient, enlacés, soudés l'un à l'autre, si proches, si unis, devaient conclure que nous étions des amoureux alors que nous scellions, par un serment irréversible, l'impossibilité de nous unir.

– Je dirai à Souveraine que c'est moi qui ai pris la décision, que j'ai besoin de voyager, que tu dois être libre pour ton métier, que tu es tout le temps à Londres...

C'était vrai. On se voyait à peine. Il se partageait entre la France et l'Angleterre, se spécialisant dans le droit international comme si toute sa vie, tout son talent, toute son énergie était déjà en marche – pour moi – vers aujourd'hui...

Quelle heure est-il?

11 h 25 seulement. L'audience est à 3 heures. Y a-t-il un décalage horaire entre Londres et la Grèce? Je ne sais pas. Je ne sais plus. Il me l'a dit, pourtant.

Prenant prétexte d'un voyage à Nogarède, j'étais allée voir ses parents et je leur avais fait part de notre décision.

– Il ne s'est pas mal conduit, au moins? s'inquiéta le boulanger.

Souveraine s'était tue.

Que savent-ils? Font-ils semblant de ne pas savoir? Je crois que nous n'aurons jamais de réponse à cette question.

La vie de Jean, à ce moment-là, était pour moi pleine de mystères. Que pouvaient-ils en deviner, eux, depuis le fournil de Pauillac? Je crois que j'ai eu peur pour Jean pendant longtemps. Parfois, j'apercevais des anges aimables et douteux à ses côtés. Je n'étais pas jalouse. J'avais peur. Pour lui. Jusqu'au jour où il a rencontré Glinglin.

Celui-là aussi, on devait tous l'attendre sans s'en douter. Il n'est ni beau mec ni bel homme, Glinglin. Comme cheveux, il a un duvet de poussin, et encore, pas partout sur la tête, et quand il entra en scène, il était pauvre comme un rat. Mais en cinq minutes, que dis-je? en cinq secondes, il nous avait captées, capturées, captivées pour la vie, Turcla et moi, dans le galetas plein de perles (les lustres!), de plumes et de rubans d'organza où il nous avait fait des pâtes au basilic.

Glinglin, c'est simple, il m'a rendu Jean.

Plus d'anges aimables et douteux.

Nous.

La famille.

D'abord les siamoises, comme Igor nous a baptisées, Turcla et moi. Et puis les garçons.

Nous sommes parfaitement indépendants mais notre autonomie marche à la tendresse partagée.

Impossible de vivre longtemps les uns sans les autres.

Après la rupture qui n'était pas une rupture, j'avais loué un studio, pris un amant et acheté une moto, manifestations d'énergie et d'indépendance qui prouvent que j'étais assez profondément atteinte. J'avais besoin de me rêver un nouvel avenir et cela ne va pas sans douleur et sans errements.

La moto, je l'ai toujours ou, plus exactement, j'ai toujours une moto.

Le studio, je l'ai gardé jusqu'à mon mariage.

L'amant, un garçon ébouriffé de l'école, nul et gentil, je me suis arrangée, dès le lendemain, pour ne plus jamais le rencontrer en tête à tête.

J'aurais pu dire, comme Turcla après son premier verre de vin :

« Je n'aime pas. »

J'avais si peu aimé que c'en était inquiétant. Au point que je tentai une seconde expérience à quelque temps de là, avec un journaliste de *BEAU* qui m'avait invitée à un spectacle de cirque, imaginant sans doute que j'étais encore une petite fille. Je me suis ennuyée au cirque et ce fut bien pis, avec lui, un peu plus tard dans la soirée.

Cette vérification me parut suffisante, je m'en tins là et j'en conclus que ce genre d'exercice n'était pas ma tasse de thé. D'où ma stupeur quand Igor, d'un seul regard, d'un seul baiser, la main caressante, le corps dur, fit voler en éclats toutes les défenses, toutes les herses, toutes les rampes crénelées et les courtines derrière lesquelles je m'étais établie.

Il fait chaud comme en été.

Midi inonde la terrasse, cuisant la pierre comme dans un four – bientôt, si je pose ma main sur la rampe, je me brûlerai –, midi tire de chaque plante des extraits trop lourds à respirer et fait crisser la feuille amère du laurier. Le figuier penche comme enivré par sa propre odeur laiteuse et poilue. Les vrilles de la vigne sont acides à faire grincer les dents.

J'ai faim. Cela m'étonne. Me choque. Mais j'ai faim.

Quelle belle cuisine, à même le vide, que la mienne ; l'évier ouvre sur un précipice et les feuilles de salade flétries descendent en parachute vers un gouffre qu'elles seules peuvent atteindre. Comme de la passerelle d'un navire, c'est de ma cuisine que je commande à la mer. Par la fenêtre – j'allais dire : par le sabord – aucune terre n'est visible. Il faut se pencher pour savoir qu'on est sur une île. La mer fait mal aux yeux comme une immense coupe de rhum que l'on vient d'enflammer. Je ne distingue rien que de la lumière qui danse et qui a tout englouti, barques, voiliers, bateaux.

Quand Myrîam m'a dit :

– J'ai rencontré un garçon...

j'ai pensé : déjà !

– Il est français lui aussi. Il finit sa cinquième au lycée Condorcet. Un grand lycée de Paris. Son papa et sa maman demandent si tu peux venir en mer avec nous ?

J'ai dit non. Honteuse de lui cacher ce rendez-vous d'aujourd'hui dont dépendent sa vie et la mienne.

Il fait si beau que Théodore a dû les mener jusqu'à la pointe des acacias, bouquet blanc à odeur de miel affolant les petites abeilles. Même avec une lunette marine je ne pourrais les rattraper.

Le bol dans lequel je coupe du fromage, des concombres et des tomates, je l'ai trouvé dans la maison en arrivant. Avec la paillasse et quelques couverts de bois, il faisait partie de l'offrande de Théodore et Théodora à cette Gabrielle qu'ils ne connaissaient pas.

La maison était vide comme un coquillage nettoyé par le flux.

Sans âge. Éternelle. Telle qu'Ulysse aurait pu la connaître, la traverser, la quitter. Et cette nourriture sur laquelle je verse de l'huile vierge, que je décore de trois feuilles de basilic et d'une olive noire dans ce bol primitif, j'aurais pu, Ulysse, la partager avec toi. Ici le temps n'existe pas. Ou plutôt, il n'existe pas à notre idée mais à la sienne propre. Il est la permanence. L'illimité. Et le cadeau qu'Igor avait déposé pour moi dans la maison vide se dresse toujours pour me le rappeler.

Une horloge.

A première vue, une comtoise.

La classique horloge de parquet à gaine de bois. Une cousine grecque et pataude de Mercadier à Podensac.

Mais, sur le cadran de porcelaine blanche, les chiffres qui mènent la ronde des heures sont des chiffres indiens. Ceux dont se servirent longtemps les Arabes, alors que nous avions déjà adopté les leurs. Ceux qu'on appelait les « chiffres de poussière » parce qu'on les écrivait dans le sable avant que ne les efface le pas des caravanes.

١٢٣٤٥٦٧٨٩٠.

Cette horloge, je l'ai vue pour la première fois à Alep chez Labib Chakkour. Et, plus encore que ses chiffres hermétiques, son absence d'aiguilles me frappa.

Comment Igor a-t-il pu faire traverser l'Asie Mineure et la mer Égée à cet obélisque de cèdre?

En retrouvant l'horloge de Labib Chakkour, car j'ai tout de suite su qu'elle était celle d'Alep, l'horloge du premier malentendu, l'horloge du trouble et du désarroi, en la retrouvant, j'ai déchiffré sans peine ce qu'Igor voulait que je lise en elle.

Une offre d'éternité.

Depuis notre mariage dans l'église de bois et malgré la croix de métropolite, je vécus près d'un an avec lui sans penser à la place que Dieu tenait dans sa vie.

Jusqu'aux premières Pâques russes.

Quelque chose lui arrivait.

Un événement se préparait.

Il me disait :

– La Résurrection, c'est encore plus beau que la Nativité! Vous, les catholiques, vous vous dites :

« Joyeuses Pâques! »

« Nous, les orthodoxes, nous disons à ceux que nous aimons :

« Христос воскресе ! »

« Christ est ressuscité! » et ce qu'ils nous répondent, Esprit Fidèle, j'aimerais te l'entendre dire :

« Во истину воскресе ! »

« En vérité, il est ressuscité! » et ensuite on s'embrasse pendant quarante jours!

– Ah! si on s'embrasse pendant quarante jours, je suis d'accord!

La foi formidable de mon mari n'avait pas été contagieuse. A la vérité, je n'arrivais pas à y croire. Je pensais qu'il était fidèle à la Russie. Sa piété me semblait incompatible avec sa virilité. Un jour, je lui dis :

– Avant de te connaître, je pensais que les croyants étaient tous des impuissants.

Il éclata de rire :

– Et tu cherches encore une preuve de l'existence de Dieu? Reconnais, mon amour, que tu es régulièrement témoin d'un miracle, lève-toi et marche, entre dans le premier sanctuaire ouvert et dis à l'employé de Dieu que tu rencontreras : saint Igor m'a montré le chemin, devinez comment? à grands coups de...

– Igor!

C'était moi qui étais choquée. Sans le savoir, j'avais dû garder des séquelles de mon éducation imbécile.

– Mais oui! Tu es l'image même du déclin de la chrétienté! Et tu mets le doigt – si ta pudeur ne s'offusque pas de cette image hardie – sur le nœud même du problème. Le divorce de l'âme et de la chair. C'est pour ça que l'Occident est devenu terre de mission. Heureusement, je suis là!

– Et tu as l'intention de faire beaucoup de conversions à grands coups de ce que tu dis?

– Non. Tu resteras mon unique brebis. D'ailleurs, tu n'es pas convertie!

– Oh! non!

– Alors, je continue mes efforts!

J'y pense souvent, à la foi d'Igor. Je n'ai encore pas compris.

Je voudrais bien...

Un voilier très beau entre dans le port. Je ne l'ai jamais vu. Pavillon grec. Admirable mouvement des voiles battant comme des ailes... Tout Phos – ça doit faire vingt-trois personnes en comptant le touriste allemand qui peint des marines –, tout Phos est sur le quai pour aider à la manœuvre. Théodora sort ses chaises, essuie ses tables, prépare l'ouzo...

Les créatures vêtues de blanc qui s'agitent à bord vont descendre à terre et s'arrêter chez elle, comme toujours. Et, comme toujours, déçues d'apprendre qu'il n'y a pas de ruines à voir, s'en iront sans visiter l'île. Et, comme toujours, Théodora leur vendra mon livre. Mon livre qu'elle garde sous pellicule plastique comme du bacon dans sa boutique-café. Elle leur parlera de moi, elle leur racontera ma légende. Elle leur montrera ma maison et le chemin entre les arbres de Judée et les figuiers. Et leur interdira de le prendre. Et les créatures vêtues de blanc, les riches créatures venues de la mer, remonteront à bord et s'en iront en regardant vers mes terrasses suspendues sur le vide, et le capitaine prêtera ses jumelles, et quelqu'un criera:

La voilà!

Et quelqu'un demandera : qui?

η χήρα!

Pourquoi suis-je brutalement malade de solitude en voyant arriver ce voilier? Au point de ne pouvoir finir le bol de féta partagé avec Ulysse...

Dans quelques heures, je saurai si j'ai encore envie de vivre. Si je PEUX vivre. Bouger. Bouger. Empêcher mon sang de s'arrêter. Bouger!

Dans le lit défait de Myrîam, demeure encore l'empreinte de ce petit corps.

Et Perceval, son vieux chien de peluche.

– Je l'emmène pas en bateau parce qu'il a pas la patte marine.

– Le pied.

– Le pied? Un chien!

Je m'agenouille à même le sol pour prendre les draps, la couverture, aller les secouer. Attention, une fois la couverture m'a échappé pour aller tomber cinquante mètres plus bas, dans les figuiers de Barbarie. J'ai failli la leur laisser mais Théodore l'a pêchée à la ligne depuis un rocher.

Myrîam adore cette histoire. Toutes les histoires. Elle écoute avec passion. Rien d'inerte ou de passif dans son attention. Elle relance sans cesse le conte, comme une balle à jamais en mouvement.

– Il était *encore* une fois, s'il te plaît!

Ce qu'elle préfère entendre, ce sont les histoires des princesses Tchetchevitchine. A l'épisode d'Istanbul, ses yeux brillent de larmes et elle s'écrie :

– Mais elle avait pris son livre de cuisine, heureusement! Dis-le! Raconte tous les gâteaux qu'elle a faits comme Peau d'Âne!

Elle mime la scène où le bouleau de fer fiance le père et la mère d'Igor :

– Alors, comme la demoiselle était très belle et le monsieur très beau, l'arbre a voulu les marier!

Mais ce qui la rend lyrique, c'est ce qu'elle appelle : la colère de la source.

110

La source. La septième, la petite fantasque qui n'a pas supporté qu'on enlevât de la grille les lettres d'or de Belles-Fontaines pour les remplacer par une plaque de fonte, en russe :

Красные Фонтаны

Depuis ce jour, la septième source a disparu.

– Elle a raison, dit Myrîam. Elle reviendra quand elle le voudra. Elle est libre. Elle est fée. Tu racontes bien, tu sais, ajoute-t-elle, sans s'apercevoir que je n'ai fait que l'écouter.

Hier soir, quand je suis venue l'embrasser avant d'éteindre, elle a noué ses bras autour de mon cou et m'a dit :

– Plus tard, je serai docteur. Alors, quand tu seras vieille, tu pourras avoir toutes les maladies, je te soignerai et je te guérirai.

Je suis montée dans ma chambre, absolument ravagée; de son lit, elle m'a crié :

– Et en plus, ça te coûtera rien!

Alors si, tout à l'heure, il faut...

Igor, pitié.

M'endormir. M'endormir à l'ombre du figuier et me réveiller contre toi. Avoir mal à la joue parce que la boucle de ton ceinturon a marqué mon visage pendant le sommeil. M'étirer doucement sans perdre le contact avec ce grand corps tiède et dur. Sentir tes bras et tes jambes qui m'enferment dans un bonheur sans issue.

Mais qui est capable de sentir, d'évaluer, de saluer le bonheur ?

Ce n'est pas la coupe qu'on nous tend mais celle qu'on nous refuse qui nous fait prendre conscience de la soif.

En plein bonheur, tiens, tu te souviens comme nous avons été malheureux en nous croisant dans l'aéroport de Dubaï? L'enfer. Lumières sur le pur néant, escale technique, j'arrive de Paris avec un escadron de luxe. Longues beautés bottées qui affrontent la nuit avec des lunettes noires. Je vais faire des photos pour BEAU à Pattaya, Samantha en vedette. Toi, tu débarquais de Berlin et tu allais vivre quelque temps auprès de Mère Teresa. Autre style de reportage. Deux jeunes novices t'accompagnaient.

On s'est vus. On a crié. On a voulu courir l'un vers l'autre.

– He is my husband!

– She is my wife! expliquions-nous à des policiers femmes armées jusqu'aux dents, prêtes à nous débiter en lanières au moindre geste l'un vers l'autre.

On n'a même pas pu se toucher.

Cette rencontre pas prévue qui aurait pu être un plus devenait quelque chose de déchirant. Et de superbe. Tu as eu le temps, avant de disparaître avec tes novices, de lancer à travers l'aéroport :

– Я тебя люблю !

– Qu'est-ce que ça veut dire? a demandé Samantha. C'est du russe?

J'ai ri. J'ai traduit :

– Il a dit : « Je t'aime! »

Les mannequins ont trouvé ça follement romantique et Pili, l'Islandaise, m'a prévenue :

– Gabrielle, cherche pas un baby-sitter pour Igor, je te le garde pendant les vacances et même pour rien! Qu'est-ce qu'il est chou!

Tout sauf chou, Pili, mais ça veut peut-être dire autre chose en islandais?

Un quart d'heure plus tard, tandis que l'avion commençait à rouler sur la piste et que nous bouclions nos ceintures, Samantha me demanda si j'étais jalouse.

– Parce que moi, je suis folle de jalousie. Morbide. Intoxiquée. Malsaine! Jamais confiante! Toujours prête à ranger les bidons, remettre les pendules à l'heure et, si besoin est, à casser la baraque!

Elle venait, quelques mois plus tôt, de se marier

avec Maxou. Au temple, car il était protestant, et comme sa première femme était catholique et le premier mari de Samantha juif, ça n'avait posé aucun problème. Ils avaient d'ailleurs ensemble un enfant de près de quatre ans et chacun en avait apporté un de son mariage précédent. Ça aurait fait un total de trois enfants si, de leur côté, leurs anciens conjoints n'en avaient pas eu également. Bref, dans le temple de l'Oratoire, cinq petits enfants tous habillés de même figuraient, bas blancs, chaussures vernies, les frères et sœurs de la famille d'aujourd'hui qui n'ont souvent comme lien de parenté que l'inconstance de leurs parents.

– Tu sais que je t'ai haïe, me dit Samantha comme nous survolions le golfe du Bengale.

– Haïe?

J'étais ahurie.

– Je me suis toujours demandé si tu avais couché avec Maxou.

– Oh!

– Aujourd'hui, je crois que non. Mais quand même... tu lui as recousu un pantalon à Barcelone, tu lui as posé des ventouses à Anchorage...

– Tu aurais préféré qu'il aille les fesses à l'air à Barcelone et que je le laisse crever à Anchorage?

– Non, mais cette intimité des voyages... Vous êtes loin de vos bases... qui vous voit? Rien d'étonnant que vous profitiez de votre liberté!

Elle commençait à me pomper l'air avec sa liberté! Elle me le pompa pendant tout le séjour et pendant le voyage de retour. J'avais dû m'accrocher pour ne pas louper ses photos. Délibérément. J'aurais pu. Parce que:

– Je suis deux, disait-elle. La moche et la belle.

C'était vrai. Elle pouvait être sublime. Elle pouvait aussi avoir sa « gueule de limande », je cite, c'est elle qui parle. Elle me rappelait sans arrêt qu'elle mesurait un demi-centimètre de plus que moi comme si on était entrées à Polytechnique la même année et qu'elle m'eût coiffée au poteau de cette infime longueur.

Et ce refrain!

– Avoue que le fruit défendu est quand même juteux!

Elle y revenait tout le temps, à son fruit défendu, et quand je lui fis remarquer qu'elle était libre, seule et loin de ses bases sur le rivage de soie de l'île des coraux, que personne ne la voyait et que, cependant, elle n'avait couché ni avec le coiffeur qui nous accompagnait, ni avec le directeur de l'hôtel, ni avec Mister Modesto, notre interprète, elle me regarda avec stupeur et me dit :

– Mais j'aime Maximilien!

Ce qui était vrai, elle l'a prouvé dans les larmes et dans l'horreur, et elle le prouve chaque jour, chère Samantha que j'aurais voulu transformer en citrouille pour lui apprendre à vivre. Mais je suis photographe et les photos prises à Pattaya par 45° à l'ombre et dans l'exaspération de ses litanies des bidons rangés, des pendules à l'heure et des baraques cassées furent encore plus belles que si je n'avais craint de me laisser influencer par le manque d'air.

– On va fêter tout ça à la campagne, me dit-elle dès notre retour, car elle s'était mise à m'aimer avec toute la violence de ses anciens soupçons.

Ils avaient acheté une maison du côté de Louviers quelques mois plus tôt.

La « fermette aménagée » type. Pour moi qui suis une fille de la campagne, ce genre de gadgets représente le comble de l'horreur. Épluche-concombre électronique, vidéo incorporée au lave-vaisselle. Et pas de chaises.

Elle vient de la mettre en vente, la fermette... il faut bien continuer à vivre.

103 jours.

La fête devait être formidable. On allait « s'éclater ». Malheureusement, la veille, l'agence annonce à Maxou qu'il doit couvrir Ascot ou Epsom, que sais-je? et qu'il lui faut un mannequin avec lui. Ce serait bien d'avoir Samantha, mais si elle ne peut pas partir, aucun problème, Pili est libre.

– Pili? des clous! dit Samantha. J'y vais!

Nous, on les a mis à l'aise pour la fermette; on viendrait une autre fois... mais c'est que ça ne les arrangeait pas du tout, ils n'avaient personne pour garder les enfants. Même pas leurs ex respectifs qui, comble de malchance, venaient de leur confier l'ensemble du cheptel.

Alors on y est allés.

C'est ce jour-là que, pour la première fois de ma vie, j'ai eu envie d'être mère. Non, pas encore : c'est ce jour-là que j'ai eu envie qu'Igor soit père.

– Igor! Igor! criaient les petits.

– Igor, t'es grand comme un arbre!

– Je suis un arbre!

– Qu'est-ce que t'es comme arbre?

– Un Железная берёзка.

– Un QUOI?

– Un bouleau, en russe. Un bouleau de fer!

– On peut grimper sur toi, bouleau de fer?

Ils grimpaient, ils l'embrassaient, ils l'écoutaient. Éblouis. Sages.

Je pensais à un petit Noir au gros ventre, aux jambes étiques, qui lui avait tenu la main au bord de ce fleuve d'Afrique dont nous avons bu l'eau boueuse coupée de javel pendant une semaine parce que Igor voulait empêcher un village de mourir. Le même regard levé sur le grand arbre, sur le géant si fort et si doux... La même confiance...

Qu'es-tu devenu, petit Noir?

La fermette n'ayant pas de chaises, on s'était assis par terre, ce qui enchanta un chien aimable qui finissait nos assiettes parfois même avant que nous n'ayons commencé à manger.

– T'es pas vraiment un arbre? demanda le plus grand, déjà cartésien.

– Non, mais mon papa était docteur d'arbres.

– Et ta maman?

– Elle était source-fée.

Trois pouces se calèrent dans trois petites bouches.

– Encore! dirent les enfants, et le chien nettoya le deuxième service.

Moi aussi j'aurais bien sucé mon pouce.

On était bien. On a ri quand Emmanuel, le fils de Samantha et de Maxou, est venu s'asseoir sur les genoux d'Igor et lui a demandé :

– T'es plus fort que la guerre, bouleau de fer?

– Je l'espère, a dit Igor en faisant saillir ses biceps. Fais gaffe, la guerre, j'arrive!

On a ri.

Une petite fille sans appellation d'origine, une petite fille que nous ne connaissions pas et qui devait être une relation de bon voisinage, nous a demandé, mondaine :

– Vous n'avez pas d'enfants, messieudames?

Nous avouâmes que non et elle insista, surprise :

– Pas même d'un autre mariage?

– Non, dit Igor, mais on va en faire un tout de suite.

– Là? demanda-t-elle, pleine d'espoir.

Qu'est-ce que j'avais dit : le voilier s'en va! Pour une fois, c'est moi qui vais prendre les jumelles!

Qu'est-ce que j'avais dit : ils l'ont acheté!

Ils m'ont vue et me font signe en me saluant avec mon livre. Je fais un grand geste de la main.

– Kairete!

Y a-t-il une plus belle façon de se dire au revoir?

– Kairete! Soyez heureux!

Mais bientôt, à bord, plus personne ne regarde la petite île, tout le monde est pris par la manœuvre;

« Les Filles de la Mer Intérieure » ont été mises à l'abri des vagues.

« Les Filles de la Mer Intérieure », tu t'en souviens, la pendule ? Ça date de l'époque où on a fait connaissance toutes les deux. Après le film. Après « le Harem ».

Igor avait d'abord dit non.

Photographe de plateau? Ce n'était pas son métier.

Il avait dit non. Tout de suite. Et oublié la proposition.

C'était mal connaître Mathias Schlappfer. Mathias Schlappfer venait de perdre son père. Et, par voie de conséquence, d'hériter de la plus puissante firme pharmaceutique de Suisse. Mathias Schlappfer avait vingt-sept ans, une gueule de carnaval (la première fois qu'on le voyait, on croyait qu'il vous faisait une blague, qu'il allait enlever le masque, mais non, c'était bien à lui), il avait aussi des ambitions démesurées et une passion pour les photos d'Igor. Trois fois, il le relança, lui promit un assistant, deux assistants, autant d'assistants qu'il voudrait. Lui jura qu'il ne ferait que ce qui lui plairait. Et l'assura que l'aventure ne pouvait avoir lieu sans lui ou plutôt qu'il ne pouvait pas manquer cette aventure, car « le Harem » menaçait d'être le film du siècle. Le must du must. Une date dans l'histoire du cinéma.

– Je sais vouloir, dit-il à Igor. Je sais aussi payer.

Son offre fit croire à Igor qu'il ne s'agissait pas d'un contrat mais d'un résultat gagnant du Loto. L'exorbitance du chiffre ne le décida pas. Il avait peur de perdre sa liberté.

Six semaines, sept peut-être, sans quitter le tournage, pour quelqu'un qui a l'habitude d'aller où il veut, quand il veut, ça risquait d'être long. C'est ce qu'il nous expliqua à la maison, sur la terrasse aux bouleaux, en dînant avec Turcla, Jean et Glinglin, la veille du jour où il allait rendre sa réponse définitive.

– « Le Harem »? dit Turcla en me regardant, mais c'est merveilleux!

– Et ça se tourne où? demanda Jean.

– A trente kilomètres d'Istanbul, sur la rive européenne de la mer de Marmara. L'équipe du film doit être logée dans un vieil hôtel qui s'appelle « Azyadé Palace »...

– Et tu hésites? s'insurgea Glinglin. C'est mal payé?

– Non, reconnaît Igor, c'est Byzance.

– Alors, de quoi as-tu peur?

– De m'emmerder.

– Emmène-nous! Depuis notre mariage, dit Glinglin, on doit toujours partir en voyage de noces tous les cinq, je commence à m'impatienter!

– Allez, on frète un charter! propose Turcla.

– Avec joie, mais je dois quand même vous prévenir...

Igor prend un temps et dit :

– On annonce 400 figurantes et 37 comédiennes.

Tout le monde éclata de rire.

Puis tout le monde me regarda comme si ces chiffres effarants me concernaient. Comme si la décision d'Igor dépendait de moi. Permission ou interdiction, voir Madame. Quelle horreur! Tu es libre, Igor, et c'est parce que tu es libre que j'aime que tu m'aimes. Et j'aime ce que te propose la vie.

Ce film me semblait être un signe du destin qui voulait ramener un Tchetchevitchine sur les lieux où Hélène et Catherine avaient découvert l'exil et la misère, les lieux où le petit Paul était mort.

J'ai dit :

– Prinkipo...

Et Igor a posé sa main sur la mienne.

C'est comme ça que tout a commencé.

J'ai envie de parler de Perle.

Déjà. Tout de suite. Maintenant.

De ne pas attendre son entrée en scène. De l'annoncer. De monter les lumières et la rampe. De dire :

la voilà...

telle que je la vis, naissant de la mer dans le frisson des gouttelettes et de la peur avec la petite feuille d'or se balançant à son oreille droite.

Mais c'est trop tôt. Elle n'arrive pas comme ça. Il faut d'abord qu'Igor dise oui à Mathias Schlappfer, qu'il aille là-bas, qu'il découvre « Azyadé Palace », ses acajous, ses baignoires de porcelaine à pieds de lion, qu'il découvre aussi le scénario. Et les 37 filles. Qui ne sont d'abord que 36.

Alors je repousse l'image de Perle naissant de la mer comme sur une table de montage, quand on fait défiler un film à l'envers jusqu'à ce que le plan sorte de l'écran comme s'il n'avait jamais existé.

Pendant ce temps, je parcours les monts du Connemara derrière une carriole et je fais le plus vert de mes reportages en compagnie de trois rouquins, Niall, Drogheda et Duncan. Un cheval, un grand chien, un petit garçon. Le soir, dans des auberges de granit, tandis que le saumon cuit sur la braise, j'écoute la chronique du « Harem » et je me demande si nous vivons sur la même planète. J'aperçois les lumières des bateaux sur la baie de Galway, Igor me parle depuis les rivages de la mer de Marmara. Nous avons des notes de téléphone monstrueuses mais je ris tellement que je ne regrette rien. A chaque coup de fil, Igor me prévient :

« Tu vas encore rire... »

et je ris avant même d'avoir entendu l'horreur du jour. Le scénario est tellement nul qu'il risque de passer pour génial. En kitsch.

– Écoute cette réplique du héros : « Mon frère chrétien peut partager avec moi la coupe de la félicité puisqu'il a déjà vidé celle de l'amertume. »

– Qui c'est qui dit ça ? Un chef indien ?

– Non, l'Alain Delon turc.

– Le quoi ?

– La vedette masculine. La production l'annonce comme ça. Je crois que ça lui a plu et je ne serais même pas étonné qu'il se soit fait graver des cartes de visite.

– Et les filles ?

– Le bordel, ma chérie. Ne ris pas ! Le catalogue de notre maison peut vous fournir la Noire de Harlem, dangereuse ; l'Asiatique répondant au nom d'Opium ; l'Allemande avec des tresses, ne ris pas ! l'Italienne M.L.F. qui a déjà mordu trois mecs, si chiama Clementina ! la Nubienne authentique ; la Provençale d'origine avec des pieds Louis XV ; et la production nous annonce l'arrivée de Cynthia Palmer, la plus salope des journalistes américaines...

– Bref, tu es heureux !

– Devine !

Et puis, tout d'un coup, plus de coups de fil. Le silence. Un silence qui ne m'inquiète pas. Tous deux nous avons l'habitude de ces zones d'absence où le contact est rendu impossible par le travail ou la carence des postes.

Brusquement un appel au moment où, rentrée à Paris, j'envisage de partir aux Antilles pour couvrir un rallye de motos à la Soufrière. Je veux emmener ma Kawasaki. Sans les formalités des droits de mer et les paperasses administratives, je devrais déjà être partie. Coup de fil d'Igor. Il faut que je vienne.

– Mais...

– Tu lâches tout. Tu viens.

– Mais...

– Tu viens.

Bien sûr, je viens ! Je viens puisqu'en l'écoutant, je

m'aperçois que – moi aussi – j'en ai marre d'être loin.

Que – moi aussi – je désire tout lâcher et venir.

Que ça fait plus de trois semaines qu'on ne s'est pas vus.

Mais alors, pourquoi, pendant que je faisais mes bagages en chantant, pourquoi n'étais-je pas complètement heureuse?

La nuit était profonde quand je débarquai à Istanbul.

Si profonde que j'ai cru arriver dans un pays qui n'existait pas. Pas de coupoles et de minarets illuminés, une route sombre le long d'une mer sombre. Et Igor me masquant le peu de paysage visible par des baisers impatients que le chauffeur appréciait dans le rétroviseur. J'appréciais aussi sans pouvoir arriver à me détendre. La présence du chauffeur, bien sûr. Mais, une fois descendus de voiture, une fois seuls dans notre chambre, je ne parvins pas à me libérer de mon angoisse.

Quelque chose n'allait pas. Je l'entendais au bruit du moteur. Igor ne tournait pas comme d'habitude. Beaucoup trop vite. Emballé.

Il m'avait dit au téléphone :

– Amène du vin et des bondes.

– Des blondes ?

– Non ! surtout pas ! On a ce qu'il faut et même au-delà ! Des *bondes* pour sanitaires.

– Combien ?

– Le plus possible ! Six ! Dix ! Douze !

Et j'étais venue avec du vin de mon père et des bondes du B.H.V. et je n'avais pas eu le temps de défaire mes valises, de regarder où j'étais, que je me retrouvais au creux d'un lit pour trois personnes, comblée, certes, mais pas rassurée. Le moteur. Tout ça allait trop vite, trop fort. Comme un gros chagrin près d'éclater. Dans un pays qui n'existait pas, avec un mari qui ne restait pas, qui s'en allait au travail avant le jour en me disant : « Dors! » et déposait une guirlande de baisers sur mon sommeil, tout doucement pour ne pas me réveiller.

Mais j'ai quand même entendu cette phrase :

– Demain c'est dimanche, je resterai avec toi toute la journée. On pourra parler.

J'ai dormi longtemps après son départ.

Il fallait que je revienne d'Irlande. Que j'oublie la Soufrière. Que je sois là.

En me faisant couler un bain, j'ai compris pour les bondes. Il n'y en avait pas. Mais pouvait-on en vouloir à « Azyadé »? Les derniers napperons brodés, appuie-tête, brise-vent, accoudoirs, jetés de table, stores et dessus-de-lit en pattatrous de la grande époque de l'Orient-Express y finissaient leur vie fragile sur des meubles transition Loti-Morand. Le ménage y était fait avec discrétion par des jeunes gens vêtus comme des agents de police qui changeaient tous les jours un linge douteux et déchiré mais admirablement repassé.

On pourra parler... de quoi?

Du film? des bondes? des blondes?

Du moteur qui tournait trop fort?

Qu'est-ce qu'il a, Igor?

Je suis descendue explorer. Marcher le long de la plage déserte que l'on voyait de nos balcons.

Un calife qui se curait les dents derrière le desk de la réception se leva et me salua profondément. A part lui, l'hôtel semblait abandonné. Tout le monde était au tournage.

Je marchai au bord de la mer, assez loin. En me retournant, je regardai « Azyadé ». On aurait dit une grosse banque Rothschild transportée dans un désert marin par un génie facétieux. Il faisait chaud. Déjà je me sentais devenir noire. Même à travers le voile léger de ma longue robe flottante. L'enlever? Me baigner? Je ne savais quels étaient les usages quand, arrivant de la mer et émergeant peu à peu des vaguelettes, je vis une silhouette féminine venir vers moi. Malgré le contre-jour, je voyais qu'elle était fragile et ravissante. Mais surtout, quand elle fut toute proche, je vis qu'elle tremblait comme si elle avait froid malgré le soleil.

– C'est incroyable! incroyable! répétait-elle en joignant les mains devant elle comme pour implorer. Incroyable! et pourtant j'étais prévenue! Igor m'avait avertie! Mais ce doit être à cause de cette robe... Je nageais vers le large, la plage était déserte et soudain, je tourne la tête et je vous vois! j'ai cru que l'Esprit Fidèle venait de se poser sur la plage! Je m'attendais à voir battre ses deux grandes ailes vertes... incroyable! Je me sens indécente avec mon maillot!

Elle se cachait derrière moi au milieu d'un feu d'artifice de paroles pour me masquer sa propre image. Peine perdue. Je ne voyais qu'elle. Délicate. Ciselée. Frissonnante. Et soudain je compris que ce n'était pas le froid qui la faisait trembler. Mais la peur.

Et c'était de moi qu'elle avait peur.

Elle dénoua ses cheveux et ils coulèrent jusqu'à ses épaules frileuses et brillantes.

– Ne prenez pas mal, lui dis-je.

Elle courut vers un drap de bain posé un peu plus loin sur le sable à côté d'un sac de plage et disparut dans l'éponge comme une vestale dans ses voiles. Avant de tendre joyeusement les bras vers l'armée turque qui venait vers nous sous la forme de deux soldats. Deux bidasses ottomans qui s'avançaient avec un sourire réjoui, un air d'habitués venant visiter la girafe et l'otarie du jardin d'Acclimatation. Ils étaient sympathiques et on les sentait sympathisants. Ils s'exprimaient en allemand comme beaucoup de Turcs, un allemand si dur qu'on avait dû le leur apprendre dans un casque à pointe. Ils semblaient ravis de découvrir un pion de plus sur l'échiquier couvert de femmes de ce film dont ils devaient assurer le calme et la paix.

Ils demandèrent si j'étais une actrice d'Arabie ou d'Égypte. D'Arabie, ça m'aurait bien plu parce que ça ne doit pas courir les dunes. Ils sortirent de la doublure de leurs uniformes une collection de photographies de ces dames à peine plus vêtues que celles qui tapissent les façades autour de Pigalle et tendirent la main pour avoir la mienne. Je dis que je n'avais pas de photos parce que j'étais photographe. Ça les fit rire. Ils nous saluèrent militairement et poursuivirent leur route.

— Vous parlez très bien l'allemand, dit la vestale avant de se frapper le front : rien d'étonnant avec Karl!

La conversation commençait à devenir intéressante. Je réfléchissais en regardant l'armée turque s'éloigner. Les deux soldats s'en allaient le long de la plage, impeccables, le pas accordé, leurs armes se balançant comme des mandolines, la main dans la main. Parfois, l'un des deux entourait l'épaule de l'autre d'un bras affectueux. On aurait dit deux pensionnaires se racontant leurs petits secrets de jeunes filles.

— N'en déduisez rien, n'en tirez aucune conclusion, ici l'armée se tient par le cou, mais ça ne veut pas dire... Oh! güle güle gidin! * s'écria-t-elle en répondant au salut qu'ils nous faisaient de loin.

Puis elle se tourna vers moi et me dit :

— Pardon, Gabrielle, je ne me suis pas présentée. Je suis Perle.

Perle.
Je suis Perle.
Elle avait dit ça comme si son prénom allait me donner la solution d'une énigme. Comme si son

* Allez en riant!

126

prénom devait tout régler. Comme si j'allais m'écrier : « Ah! bon! vous êtes Perle! » En réalité, « Perle » ne réglait rien. Ce prénom, pour moi, n'était pas une réponse mais une question.

Perle?

Nous ne nous sommes pas quittées de la journée.

A six heures du matin, comme elle allait descendre, la production lui avait téléphoné que le plan de travail était changé, qu'on allait profiter du beau temps pour finir une séquence en extérieur. Qu'elle était libre.

– J'espérais bien vous rencontrer mais je n'aurais jamais osé vous déranger...

Perle Vanilo, vingt-sept ans. Sujet britannique. Actrice. Célibataire. Père juif. Mort. Mère catholique. Vivante. Bien vivante.

Nous avions quitté la plage pour aller nous asseoir à côté du chameau de l'hôtel, à l'ombre d'un olivier gigantesque, le seul arbre des environs.

Le chameau dormait. Ce devait être une très vieille bête. Coiffée d'un béret à pompon tricoté, sa tête, posée sur le sol, loin devant lui comme au bout d'une monstrueuse érection, semblait ne pas lui appartenir. Notre présence ne le réveilla pas... Mais, à chaque mouche qui atterrissait sur sa robe jaune, il frémissait, secouant les broderies, les tapis, les chaînes et les clochettes de cuivre dont il était affublé comme une danseuse à crotales.

Nous avons partagé les fruits que Perle avait dans son sac.

Accompagnée par la musique du chameau-orchestre, elle m'a raconté sa vie.

Elle m'a aussi raconté la mienne, qu'elle connaissait par cœur.

C'est là que j'ai commencé à me poser des questions.

A l'heure du thé, je ne m'en posais plus.

Ivres de chaleur malgré l'ombre de l'olivier, nous étions remontées chez Igor.

– On est plus confortable dans sa suite que dans ma chambre, me dit Perle. Et puis il a un des rares Frigidaire qui marchent, alors il est un peu squatté! On lui dépose du lait, du champagne, du beurre...

Je regardais la 37e fille du Harem faire mon thé, dans ma bouilloire, dans ma théière, dans la suite de Mon mari. Et je n'arrivais pas à être fâchée.

J'aurais bien voulu.

Quelle simplification!

Seulement voilà, je n'avais pas envie d'être méchante!

Je me sentais en confiance avec Perle. Son léger accent était une musique agréable. Et puis elle me faisait rire. Plus tard, je devais découvrir tout ce qu'il y avait de profond, de grave, sous la drôlerie du premier jour. Mais j'étais déjà sous le charme avant de savoir pourquoi.

Son thé était bon. Je le lui dis.

Alors elle s'écria :

– « Jam to-morrow and jam yesterday – but never jam to-day. »
et je fus si émue par ce vieux souvenir que je lui dis :

– On se tutoie?

Qu'Igor lui ait livré tant de mes secrets ne me choquait nullement. Au contraire. Tout ce qu'il lui avait révélé prouvait à quel point nous faisions partie l'un de l'autre. Une seule chair, c'est comme ça qu'on dit?

Elle me resservit de thé et nous partageâmes un vieux baklava.

– Je pense qu'il est mauvais, dit-elle, et, en effet, il l'était.

Mais ça n'avait pas d'importance.

Nous étions bien. Et quand deux femmes sont

bien ensemble, les démons ne peuvent rien contre elles.

– J'étais intimidée... m'avoua Perle. Igor parle de toi comme de quelqu'un de très fort : « Quand elle va découvrir nos monstres, elle va faire sa tête de close-combat! » Il avait oublié de me dire que tu es gentille.

– Moi? mais pas du tout! m'écriai-je, indignée.

– Ne sois pas trop gentille avec nos monstres, poursuivit-elle, parce que ce sont de vrais monstres. Je ne parle pas des pauvres nains...

– Vous avez des nains?

– Des nains, une géante, des lutteurs noirs... mais ceux-là sont humains. Parce que voir des filles connues, des filles qui ont joué Shakespeare, se battre pour un collier de pacotille qu'elles porteront une minute dans un plan qui sera coupé au montage... J'ai honte. Surtout quand elles sont anglaises, ajouta-t-elle avec sincérité. Mais je ne veux rien te dire, tu ne me croirais pas, je veux seulement te prévenir que tu es attendue et que j'aurais bien aimé voir ça!

– Et pourquoi ne le verrais-tu pas?

– Parce que, ce soir, je ne serai pas là. Je sors deux malheureuses que les monstres risquent de pousser au suicide. Ma maquilleuse et ma coiffeuse. Je les emmène dîner en filles pour leur refaire le moral.

Un instant j'avais eu peur qu'elle ne soit sur le départ. Ça m'aurait fait de la peine de la perdre tout de suite... et pourtant son absence de ce soir, cette façon délicate de s'effacer pour mes débuts au « Harem », n'était-ce pas une façon de me faire le plus évident des aveux?

Nous avons fait ensemble la vaisselle du thé.

– Des bondes! s'extasia-t-elle en découvrant celles de la salle de bains.

Je lui en donnai deux.

Pour me remercier, elle me montra comment il

fallait refermer le vieux Frigidaire pour qu'il ne s'ouvre pas tout seul. Parce que, s'il n'est pas bien fermé, il fait pipi partout.

– Et puis, n'aie pas peur, si tu l'entends tousser. Ça le prend de temps en temps. Parfois en pleine nuit. Ce n'est pas grave du moment qu'il est bien fermé. Voyons, faut-il racheter du lait? C'est le chauffeur d'Igor qui nous le rapporte d'Istanbul une ou deux fois par semaine... Non, ça va encore, on peut tenir.

Elle referma soigneusement la pièce de musée et s'écria :

– Tu sais que j'ai porté ta robe, « Merry Day »! Je l'ai eue en perles indigo! pour épater le monde pendant une croisière sur le yacht d'un milliardaire pédéraste et borgne qui ne l'a d'ailleurs jamais vue, étant donné qu'il me regardait toujours du mauvais œil! Ça m'avait tellement déprimée que...

Elle se tut brusquement et changea d'expression. Je regardai dans la même direction qu'elle. Igor était rentré.

Sur le seuil, couvert d'appareils, il souriait.

– Je suis là depuis un bon moment, dit-il. J'avais décidé d'éternuer vers minuit si vous n'aviez pas découvert ma présence. On dirait que vous avez fait connaissance?

– Je vous laisse, dit Perle en se dirigeant vers la porte.

De nouveau, elle tremblait comme le matin.

– Tu oublies tes bondes!

– Oh! merci!

Je la retins par la main et je l'embrassai sur la joue. La petite feuille d'or se balançait. Nos peaux étaient brûlantes de soleil. Je l'embrassai sur la joue... baiser étrange, début d'un dialogue qui sent le jasmin et le sable.

Elle fit un geste avant de sortir :

– Bonsoir, Igor.

– Bonsoir, Perle.

Nous nous sommes regardés après que la porte se fut refermée sur elle.
– Bonsoir, Igor.
– Bonsoir, Gabrielle.
Tu m'as prise contre toi et tu m'as serrée, long-temps.
– Tu es noire! Toute chaude... et tu es là!
Dieu merci, je n'ai pas demandé :
– Qui est cette fille?
Dieu merci, tu n'as pas répondu :
– Une petite actrice assez gentille.
J'ai dit :
– J'aime beaucoup Perle.
Et tu as répondu :
– Moi aussi.
Après, on est descendus dîner.

Beaucoup plus tard.

Cet escalier d' « Azyadé »...
Ce n'était pas un escalier mais un examen de passage. Quarante-neuf marches (je les ai comptées) pour descendre en suivant une courbe majestueuse jusqu'à la fosse aux lions dans un tumulte de cirque.
Le samedi soir où je fus présentée à l'équipe du film comme j'aurais pu l'être à la cour d'Angleterre, je vis soudain les têtes se lever vers moi, les crocs en avant, comme si j'avais été le plat de résistance. Et le tumulte fit place au silence.
Perle avait raison, j'étais attendue.
Mathias Schlappfer quitta sa place et vint vers nous les mains ouvertes. C'est vrai qu'il avait une drôle de gueule!
– Vous dînez à ma table, dit-il en glissant son bras sous le mien. Je suis si heureux que vous nous ayez rejoints!
Sa table. La table. The table!

La table promotionnelle qui déclenchait les crises de nerfs et les explosions de vanité. Il me présenta Patty Lou, sa femme, une jeune comédienne très douce et très claire qui venait de lui « donner » un fils comme ils disaient tous les deux et à qui, reconnaissant, il offrait un rôle de relevailles dans le film. Je fis également la connaissance de l'Alain Delon turc qui était très beau. Non. Il avait dû être récemment d'une parfaite beauté mais il commençait à gonfler comme un beignet et on sentait qu'il ne s'arrêterait pas de sitôt. Il parlait très mal l'anglais et l'allemand, pas du tout le français, ce qui lui donnait une expression inquiète et presque traquée. Sans arrêt, une grande et belle jeune femme blonde devait lui traduire en turc tout ce qui se disait autour de la table.

– Oum Aksaray, dit Mathias, notre vedette féminine ottomane et notre providence sur le tournage.

– J'ai eu tout simplement la chance de naître à Issoudun et de faire mes études en France, expliqua la splendide créature avec un accent de chez nous à tirer des larmes tricolores, je n'ai vraiment aucun mérite à parler mes deux langues maternelles!

Et elle s'empressa de traduire tout ça à son compatriote avec un sourire radieux.

– Il est très emmerdant, conclut-elle gentiment, mais ça, je ne le lui traduirai pas.

A la droite de Mathias, Cynthia Palmer, commère en chef, arrivée depuis quelques jours. Toujours vêtue de rose, luisante et dodue, elle avait l'air, ce soir-là, d'un apéricube au jambon. Derrière ses lunettes scintillantes, elle posait sur le monde un des regards les plus méchants qu'il m'ait été donné de rencontrer. Et pourtant, la compétition était serrée. A commencer par la Noire de Harlem qui se trouvait à la table des grands parce qu'elle avait menacé Mathias de repartir par le premier avion si on continuait à la traiter comme de la merde. Superbe, presque bleu marine de teint, elle portait une crête de cheveux jaunes et ses oreilles étaient cloutées de diamants. Quant au metteur en scène, je ne le vis pas, pas plus que Terry May, le premier rôle féminin. Il l'avait invitée à dîner parce qu'elle l'avait giflé sur le plateau après qu'il l'eut traitée de pute. Par la suite, je le rencontrai plusieurs fois avec plaisir. Il était depuis longtemps conservé dans l'alcool comme Terry était déjà embaumée dans le hasch. Mais il était drôle et, conscient que le bateau ne flotterait jamais, à couler pour couler, il trouvait la galère amusante.

La salle à manger – lustres de cristal taillé et nappes en plastique – hésitait entre le palace et la colonie de vacances. Les conversations avaient repris. Tous les échanges avaient lieu dans un magma de langues, dans un fouillis d'idiomes à faire avorter une chèvre. Colonie de vacances ? Non : maison de fous. Et ni docteur ni infirmiers musclés pour calmer les agités des deux sexes.

A la table voisine, brusquement, au milieu des nains installés sur des chaises de bébé, la Nubienne éclata en sanglots hystériques.

– On a dû lui refuser un morceau de missionnaire, dit Cynthia.

– Toi, la vieille, sale raciste, je te ferai la peau ! siffla la crête jaune.

– Je t'aurai avant, pauvre conne ! répondit Cynthia avant de se tourner vers moi, mondaine : Vous savez que j'ai porté « Merry Day » en rose ?

– Moi, je l'ai eue en turquoise ! dit Patty.

– Et moi en fuchsia ! dit Oum avant de vite traduire pour son compatriote, troublé par la rapidité du dialogue.

La gentillesse d'Oum, esclave-traductrice, la gentillesse de Patty, patronne-domestique, accentuaient le côté maison de fous. Leur empressement à tout arranger semblait signifier : « Ne les contrarions pas, ils pourraient devenir dangereux ! »

Une fille gravit l'escalier en courant, tirant la

langue à un garçon qui criait en se tenant la main :

– Clementina! torna subito, disgraziata!

Nous échangeâmes un sourire avec Igor quand, se penchant vers lui, aimable pour la première fois depuis que nous étions là, la crête jaune lui demanda :

– Qu'est-ce que tu as fait de Perle?

Il y eut un silence brusque mais, avant qu'Igor n'ouvre la bouche, j'avais répondu :

– Je peux lui transmettre un message quand elle rentrera, si vous le voulez?

– Non, c'était juste pour savoir.

– En tout cas, dit Igor, ça lui fera plaisir que tu aies pensé à elle.

– Oui, c'est gentil, dit Patty au supplice.

– Et d'où arrivez-vous pour être si noire? s'empressa Oum.

– D'Irlande.

Tout le monde éclata de rire, même le Turc, sauf la crête jaune qui se leva brusquement et quitta la table sans saluer personne.

– Mon Dieu! j'ai dit « noire »! se désola Oum. Je l'ai blessée!

– Tant mieux! dit Cynthia.

Mathias ne semblait pas avoir remarqué l'incident. Il me regardait fixement.

– J'ai envie de rajouter un rôle, dit-il.

et je m'aperçus avec épouvante qu'il était sérieux.

– Ce serait une sorte d'épilogue après la mort des héros... l'archange descend sur la terre et annonce d'autres malheurs que Dieu va...

– Non! non! cria le Turc, qui faisait des progrès stupéfiants.

Il continua, pour qu'Oum traduise à Mathias, qu'il n'en était pas question, le film devait finir sur lui, c'était écrit dans le contrat, la dernière image, c'était sur lui!

Depuis un moment, une jeune fille au visage primitif se tenait près de la table. Elle murmura quelques mots et, une fois de plus, Oum traduisit : « Bébé pleure. Bébé ne veut pas dormir. »

– Bébé !

Patty se leva et courut comme une folle vers l'escalier, oubliant le reste du monde.

– Il a neuf mois et dix jours, dit Mathias comme il aurait annoncé une performance sportive. Patty est une mère adorable.

– Patty est adorable, dit Oum.

– Patty est trop adorable, dit Cynthia.

Tout ça était irréel.

La lune dehors. La mer de Marmara. Les harpies stridulant leurs dialectes à coups de bec. La feuille de service de lundi posée sur les tables. Le petit bébé qui ne voulait pas dormir. Son papa qui voulait me coller deux ailes vertes dans le dos et la parole de Dieu dans la bouche...

Mais qu'étions-nous venus faire dans ce « Harem », Igor et moi ?

Comment est-ce arrivé ?

Je crois que je voulais parler. Écouter surtout. Les faire parler. Mais pas un son n'arrivait à franchir mes lèvres. Ni celles de Perle. Ni celles d'Igor.

C'était le lendemain soir, dans notre salon.

– Viens prendre un verre, Perle.

Nous sommes assis par terre, sur des coussins, face à la mer. Le vieux Frigidaire grommelle. La nuit tombe.

Non, la nuit ne tombe pas : elle monte comme une marée. Elle enjambe la terrasse, se répand comme un brouillard, nous recouvre, nous engloutit. Elle anesthésie et permet ce que la lumière, les mots, la réalité rendent impossible.

Longue immobilité partagée au fond d'un gouffre.

Nous avons peur. De quelque chose d'inconcevable. De quelque chose d'évident. De l'effrayante éclosion de l'impossible. Je repose contre Igor, ma tête sur son cœur. Je sais maintenant pourquoi le moteur tourne trop vite. D'un bras, il entoure mes épaules. Je suis bien. Je ferme les yeux. De l'autre côté de l'homme que j'aime il y a une femme. Je n'ai jamais connu, envisagé, ce genre de situation.

Ils se sont rencontrés.

Et nous nous rencontrons ce soir.

Étonnés.

Il va falloir du génie pour ne pas se faire de mal.

Ou tout simplement de l'amour.

Quel silence...

Une main timide se pose sur la mienne.

J'ouvre les yeux. Je les vois dans la lumière noire et tendre. Et tout devient simple.

Nous faisons des choses pas permises.

Nous faisons des choses défendues.

Nous sommes ceux par qui le scandale arrive.

Parce que si nous pouvons dérober aux autres les cris de la nuit, les murmures du matin, les tendresses du crépuscule, nous ne pouvons pas leur cacher le bonheur.

Nous sommes heureux.

Crime impardonnable.

« Le Harem » s'érige en tribunal de la vertu.

Des regards implacables se posent sur nous. A part Oum et Patty, les filles nous fuient comme si nous étions deux sorcières. Elles vont peut-être nous brûler vives un soir de pleine lune sur la plage? Ensuite elles se partageront Igor avec un couteau à découper.

Ce qui révolte nos juges, ce n'est pas ce que nous faisons et qu'ils ne voient point, c'est notre joie.

Que voulez-vous que ça nous fasse?

Cette nuit, Perle a dit :

– On s'aimera plus que toujours!

Alors oublions ceux qui nous condamnent pour vivre entre nous dans la lumière retrouvée. Acceptée. La douce lumière du jardin d'Éden. La lumière de l'amour partagé pour un homme que réfléchit le double miroir de nos chairs jumelles.

Rayonnement de ce que nous persistons à saluer du nom de bonheur.

Nous ne savons pas encore que nous avons franchi les limites et qu'un jour il nous faudra payer le prix. Et que nous ne discuterons pas la facture.

Je les voyais très peu. Ils partaient tôt le matin, rentraient juste avant la nuit pour se jeter dans un bain et descendaient dîner le plus tard possible afin d'éviter la foule et le bruit de la salle à manger.

Et puis, plus on attendait, plus on avait de chances de se retrouver seuls avec les Schlappfer et Oum. Éventuellement avec le metteur en scène qui était toujours drôle. Irrésistible à partir du huitième scotch. Il m'appelait : « La femme qui m'a rapporté une bonde de Paris! »

Trop concernés par le film et peut-être tout simplement charitables, ils ne coiffèrent jamais leurs bonnets carrés en nous voyant approcher de leur table.

C'est dans l'éblouissement de la nuit que nous nous retrouvions, Igor, Perle et moi. Hélas, chaque matin me les ravissait et je restais seule.

Ils partageaient tous deux une chose dont j'étais exclue : le travail. Pour la première fois de sa vie, Igor faisait partie d'une équipe. Nous avions parfois vécu un, deux, trois jours avec des productions. Mais nous y avions toujours été des visiteurs. Prêts à s'envoler comme Cynthia venait de le faire, son stylo dégouttant de venin. A « Azyadé », Igor – comme Perle, comme les autres – était un habitant du film. Moi, j'étais l'étrangère.

Une fois cependant ils avaient tant insisté pour

m'emmener sur le tournage avec eux que je les avais suivis.

C'était le jour à ne pas manquer.

Des centaines de figurants étaient convoqués dans une vaste plaine. Deux tribus venues de loin avec leurs costumes, leurs armes, leurs chevaux. Deux tribus qui allaient se livrer bataille dans la vaste plaine.

Malheureusement la bataille commença au réfectoire au moment de la distribution des paniers-repas.

Le temps qu'il faut pour qu'une étincelle mette le feu à de la paille sèche et ce fut le carnage!

– Le sang coule! Au secours! Help! Aïuto! A l'aide! hurla un assistant affolé, semant la panique sur le champ de bataille.

Naturellement, on alla chercher Oum. Elle était déjà prête à tourner, dans ses mousselines bruissantes de bijoux, la maquilleuse venait de lui saupoudrer la gorge d'un nuage de poudre pailletée, elle agrafait un bracelet... comme à l'appel du tocsin, elle se précipita sans hésiter entre les combattants, les bras écartés, splendide, et le spectacle de cette grande femme turque qui les appelait à la raison dans leur langue avec colère et douleur fut si fort sur ces hommes frustes que tout rentra dans l'ordre et les poignards dans leur gaine.

Mais il y avait cinq blessés graves dont l'un mourut dans la soirée.

Après cette journée sanglante, je m'abstins.

Je restais à « Azyadé », seule ou avec ceux de l'équipe qui ne tournaient pas et qui ne m'avaient pas excommuniée. Les indifférents, les distraits ou les miséricordieux. J'avais fait amitié avec les nains. Ce devait être terrifiant de nous voir aller nous baigner ensemble. Ils sautillaient autour de moi comme des puces de mer autour d'un échassier, leurs petits corps difformes et blêmes pris dans des maillots pour enfants. Je bénissais Karl et la

138

langue de Goethe. Si je n'avais pas parlé allemand je serais devenue folle de solitude au milieu de tous ces Turcs. Les nains faisaient du cinéma, du cirque, des exhibitions et même des présentations de mode. Quand je leur demandai quelle était leur exacte profession, ils me répondirent en riant :

« Nains! »

Parfois Patty passait la journée avec moi. Alors la journée était gentille et ennuyeuse. Elle me donnait des recettes de cuisine du genre : « si vous voulez que vos paupiettes soient bien moelleuses... » Elle s'occupait de son bébé avec tendresse, me le prêtait, m'apportait des petits cadeaux, une fleur, un gâteau, un savon de sultane...

Je la trouvais mignonne et nulle.

Je devais revoir ce jugement de fond en comble quelques années plus tard, après le suicide de Mathias, quand l'adversité l'a définie d'un trait sans défaillance et sans pitié.

Mais Patty n'était pas toujours libre.

Souvent je suis seule.

Dans ma chambre, sur la plage, sous l'olivier. Avec le chameau.

Je suis seule.

Je m'emmerde.

L'angoisse me prend devant le vide de la journée à mener jusqu'au soir. Travailler? Je ne peux pas. Mes appareils sont cachés au fond d'un placard comme un remords.

Parfois je voudrais être à 3 000 km de là.

Avec Igor.

Tous les deux.

En train de faire griller une entrecôte sur la terrasse de la colline de Chaillot. Et que « le Harem » n'ait jamais existé.

Un jour, j'ai pris une feuille blanche dans le buvard de la chambre et j'ai écrit :

« Respiration perdue. »

Je suis restée longtemps à regarder mon écriture. Puis j'ai déchiré la feuille.

Mille morceaux.

Respiration perdue.

Et s'ils ne revenaient pas?

Si un jour, éblouis par la joie d'être ensemble, ils décidaient de m'abandonner? C'est le trou noir dans lequel je m'enfonce comme dans un infini de poussière jusqu'au bruit d'un pas bien-aimé dans le couloir, jusqu'à la brutalité rassurante de la porte ouverte : « Salut! » Et j'éclate de rire à la nouvelle du jour :

« L'Italienne a encore mordu! »

Nous avons beaucoup ri.

Ce qui ne prouve pas que nous étions gais.

Un matin je me réveille sous la puissance d'un regard.

Perle me sourit. Pourquoi ses yeux sont-ils pleins de larmes?

Elle me fait chut! un doigt sur la bouche : Igor dort encore.

Nous le regardons ensemble. Le temps d'oublier les larmes.

– La croix, dit Perle tout doucement, la croix de métropolite... J'ai été surprise la première fois.

Elle ne dit pas quelle première fois, ce n'est pas la peine.

– Tu sais que je suis catholique, chuchote-t-elle. Enfin, j'étais. Pour une juive anglaise, c'est fort. C'est ma mère qui a voulu ça. Pour emmerder papa... elle lui disait : « L'oncle Édouard lui fera un joli cadeau pour sa communion! ça fera plaisir à mumy quand on ira la voir à l'Hospice. Et puis toi, de ton côté, tu n'as plus personne à ménager! » Ça c'était vrai. Il était le seul survivant, les autres étaient tous restés dans les camps... alors, le jour où mon père est mort, j'allais avoir treize ans, j'ai jeté mes médailles dans les cabinets.

Les larmes sont revenues. Elle ne cherche plus à les cacher. Mais elle rit.

– Et il a fallu que je rencontre le seul homme qui dort avec une croix! Je me suis dit : c'est un curé! j'avais tort, les curés, eux, enlèvent leur croix pour dormir.

– Comment le sais-tu? demande Igor d'une voix profonde qui nous fait crier de peur.

– Mais il nous espionne! Il écoute aux portes, l'affreux!

– Ça fait semblant de dormir! hypocrite! cafard! sournois!

A deux, on est bêtes, mais alors à trois, faites-moi confiance.

– Je vais intenter un procès à Dieu! menace Perle.

– Tu le perdras!

– Pas si je fais comparaître ma mère! Quand il la verra...

Brusquement elle éclate en sanglots et nous voilà malades de chagrin.

– Je voudrais tant l'aimer, hoquette-t-elle. Je l'adorais quand j'étais petite et puis... si vous saviez...

Je caresse les cheveux de cette fille qui pleure dans les bras de mon mari et, comme lui, je voudrais qu'elle puisse aimer sa mère. Douceur immobile de la tendresse au milieu des larmes qui s'apaisent. Silence.

Le premier matin il avait dit :

« On pourra parler. »

Et on n'avait pas parlé.

Je savais maintenant qu'on ne parlerait pas.

A peine apprenons-nous que Perle ne tourne pas le lendemain que nous décidons de passer la journée à Istanbul.

Une voiture de la production qui allait chercher de la pellicule nous jetterait en ville. On se débrouillerait pour rentrer toutes seules.

Quand nous sommes arrivées en vue du Bosphore, un léger brouillard s'attardait encore; il allait faire très beau.

Des bâtiments soviétiques donnaient un parfum de guerre froide à notre escapade de collégiennes.

Crustacés extraterrestres tendant leurs minarets vers le ciel comme des tentacules pleins de reproche, les mosquées signaient le paysage et confirmaient qu'on était bien là où l'on croyait être, très exactement à Byzance.

La voiture nous déposa devant Topkapi. Alors nous avons traversé « les vieux jardins en velours vert du Sérail * », nous avons suivi la procession des touristes et regardé les trônes hérissés de diamants, les armures joyaux, les émeraudes grosses comme des placentas...

Des touristes en short, l'air sérieux d'un jeune couple qui visite une villa et risque de donner suite, demandaient :

« Combien ? »

L'odeur tendre de la nature rendait le Trésor encore plus monstrueux.

Frémissement dans les shorts quand on pénètre dans le Harem. Les yeux brillent. Les plus abrutis des pèlerins se réveillent, retrouvent la parole.

Rigolade. Gaudriole. Volupté.

Tristesse, répond le Harem.

Paysage de faïences aux forêts d'arabesques ouvrant sur des lointains de pierre, prison de nacre, oubliette d'Or, le Harem s'enroule et se déroule comme un serpent autour de la « Cage », abolissant l'air, l'espace, la liberté.

Nous avons marché en silence jusqu'à Aya Sophia, nous aurions marché plus loin encore pour savourer de n'être point des captives.

Des enfants, petits cireurs, marchands de timbres, de cartes postales ou de beignets, vendeurs de vent

* Edouard Herriot, « l'Orient ».

142

et de bruit, nous suivirent longtemps en criant :
« Madame! » dans toutes les langues de la terre. Des
hommes restaient immobiles, au milieu du chemin,
le regard pathétique, comme si nous étions les
premières femmes qu'ils rencontraient. D'autres
nous proposaient des parfums français, des vestes de
cuir, des loukoums flétris. Un être chenille, s'aidant
de ses bras et de ses jambes de faucheux, rampa
devant nous sur une pelouse grise. Il souriait. Perle
s'arrêta et, plantant ses ongles dans mon bras, elle
détourna la tête pour qu'il ne voie pas le trouble de
son visage. Cette griffe, cette caresse, cet appel au
secours disait à quel point elle était sans défense. Et
sa main incrustée dans ma chair me ramenait à la
première nuit où je l'avais vue dans les bras d'Igor,
image interdite me révélant la beauté de la vie, la
face cachée de l'amour, révélation d'autant plus
fulgurante qu'elle ne peut vous être donnée qu'au
bord du gouffre. De ce gouffre, parfois, montaient
de sauvages lames de fond, alors je croyais qu'elles
allaient tout emporter. Et moi avec. Pour ce saccage, il eût fallu que j'accepte de me mentir. De cesser
de considérer Perle comme un être humain. De
cesser d'en être un moi-même. Qui, mieux que moi,
pouvait comprendre qu'on aime Igor? Si j'avais
refusé Perle, c'était d'une partie de moi-même que
je me privais.

« Madame! Madame! » hurlaient les petits vendeurs qui prenaient notre immobilité pour une
hésitation de touristes devant l'objet à acheter.

– Je ne demande qu'à croire en Dieu, dit Perle en
regardant l'être chenille qui disparaissait en ondulant derrière les arbres, mais je voudrais qu'Il
m'explique.

Cette rencontre me laisse plus de souvenirs que la
Sainte Sagesse.

De cette église qui n'est plus une église, de cette
mosquée qui n'est plus une mosquée, je ne garde
dans ma mémoire que le battement immobile

des ailes des anges qui veillent aux quatre coins.

– Ça ne te bassine pas que tout le monde s'écrie en te voyant : « Mais ma parole, on dirait l'archange Gabriel ! » ?

Ça me bassinait effectivement.

À propos, où avait-elle appris à manier aussi délicatement notre langue ?

– Au Lycée français de Londres. Ma mère a tous les défauts mais elle n'a pas lésiné sur mon éducation. Je sais reconnaître une aquarelle d'une sculpture à l'œil nu et en neuf langues, je joue au golf, je monte à cheval, je skie sur eau et sur neige, je patine, je me tiens assez proprement à table, t'as vu ! je joue même du piano ! Malheureusement...

– Malheureusement ?

– Elle a fait tous ces frais avec l'espoir de les amortir le jour où je serais pute. Comme elle. Pas pute dans la rue. Non. Pute digne. Avec un membre de la Chambre des Lords. Un ministre. Un émir ! en ce moment, c'est un must, l'émir. Le Libanais a fait son temps – devine pourquoi – après avoir été en tête du hit-parade. Je te choque ?

Je n'étais pas choquée, j'essayais d'imaginer une mère proxénète. La seule maman que j'avais connue dans mon enfance, c'était Souveraine avec son odeur de bon pain.

– Elle est très fâchée contre moi, ma pauvre maman, d'autant plus qu'à son âge elle aimerait bien que je prenne le relais. Et puis zut ! avec ma mère ! On est venues pour visiter la Mosquée Bleue ! « ... avec ses six minarets, ses carreaux de faïence turquoise, ses 260 fenêtres diffusant une lumière douce et reposante, la Mosquée Bleue du sultan Ahmet... » Allez viens ! Il faudra réciter tout ça à Igor ce soir pour l'épater !

Mais, très vite, saturées par les shorts maintenant en chaussettes, nous avons fui l'odeur de pied que fidèles et infidèles laissent fraternellement sur le millefeuille des tapis...

« Madame! Madame! » criaient toujours les petits vendeurs tandis que nous montions dans un taxi. Un de ces taxis tapissés de fourrures acryliques et bouclées, vaporisés de parfums lourds, où la clef de contact vous dispense la cassette typique en même temps que le chauffage, fût-ce au mois d'août.

Au marché égyptien où nous débarquâmes, sourdes et le front moite, des marins turcs qui buvaient du raki sous un grenadier en fleur se levèrent et nous invitèrent à les rejoindre.

– Ne remarque rien, dit Perle, ils vont nous oublier.

Ils nous oublièrent pendant qu'elle achetait des pétales de rose, des épices, et refusait un poussin, cadeau qui nous aurait posé bien des problèmes dans la suite de la promenade. Un petit vieux, courbé sous un faix de pains, courait sans regarder et sans heurter personne, chauve-souris humaine à travers la foule.

Oum nous avait donné une lettre pour son ami Ufku qui tenait un restaurant sur le pont de Galata.

– J'ai dit que vous étiez mes cousines d'Issoudun, vous serez bien traitées.

Bien traitées? La sultane validé la plus comblée nous aurait fait étrangler par ses nains et sa nourrice si elle avait eu vent de la réception que nous fit Ufku après avoir lu la lettre de « la cousine ».

Il y avait une grande photo d'elle sur le mur du restaurant. Dédicacée. Ufku nous installa contre la rambarde, à la place d'honneur, et réunit plusieurs bouquets sur notre table.

Quelques mètres plus bas sur les eaux sombres, opaques, lourdes de secrets, des poissons présentés comme des bijoux dans l'écrin des barques se tordaient sous nos yeux. Une multitude de petits plats gais nous prit d'assaut.

– Rien n'est trop beau pour la famille d'Oum Aksaray! nous dit Ufku, en allemand bien sûr.

Quand il parlait d'elle – Gross Artist! – c'était avec tant de révérence qu'il aurait pu s'agir d'Atatürk ou de la mère de Jésus.

– Tu sais qu'elle est musulmane? dit Perle. Elle ne parle pas arabe, elle ne le déchiffre même pas et ça la désole. Alors on a commencé toutes les deux à l'apprendre au tournage pendant les heures d'attente avec une méthode et des dictionnaires. Si tu nous voyais en odalisques, en train d'épeler comme des illettrées! C'est beau, l'arabe. Moins beau que l'hébreu, bien sûr, mais je crois que je vais continuer... comme ça, je pourrai m'adresser directement à Nos Trois Pères qui êtes aux cieux, il y en aura bien un qui finira par me répondre!

Kirmizi Doluca. Un vin très bon.

Et puis le léger balancement du pont de Galata qui fait dériver la pensée, tout juste assez pour qu'elle se pose un petit peu à côté de la réalité.

Ufku, si gentil, si courtois, célébrant la cérémonie, attendant notre contentement comme un verdict, s'épanouissant à chaque compliment, à chaque sourire, nous offrant le café, s'inclinant sur nos mains quand nous partons et se désolant de ne pas parler la langue d'Issoudun.

– Français, nein!

Puis soudain, s'éclairant et disant, comme s'il entonnait « la Marseillaise » :

– « Café de Paris! »

– Nous aurions dû venir ici il y a cent ans, me dit Perle, deux heures plus tard.

Oui. Il fallait venir sur les pas de Lamartine quand la face de la Turquie était encore tournée vers l'Orient. Il fallait venir avant le règne de la casquette. Maintenant il pleut des vapeurs de mazout sur la Corne d'Or.

« Café Pierre-Loti », à Eyup.

Nous buvons un ayran glacé, ce yaourt battu

qu'aimait Atatürk, devant la maisonnette de bois sombre qui n'a pas changé depuis que Julien Viaud est parti.

N'est-ce pas merveilleux, pour un écrivain, de donner son nom à un café?

Des vrilles de vigne s'enroulent aux colonnettes de la terrasse et, à quelques mètres, des moutons paissent l'herbe du cimetière musulman où, libres de cercueils et d'entraves, les morts peuvent évoluer à leur guise dans une autre dimension. Au milieu des cippes de pierre, grosses fèves plantées de traviole, les moutons, la tête perdue dans la menthe et le fenouil, semblaient écouter des secrets que leur murmuraient les défunts.

Un peu à l'écart, à l'abri d'un turbeh, une chatte allaitait ses trois petits. Elle avait l'air d'une princesse dans son palais, confortable et ronronnante, et nul ne songeait à chasser la royale créature. Depuis que le Prophète trancha le bord de sa robe pour ne pas déranger Muezza, sa chatte, au moment de la prière, certains avantages acquis n'ont jamais été repris à ces petits êtres. Et nous voyant approcher, au lieu de se hérisser, la chatte eut un roucoulement aimable et, écartant les pattes, nous présenta ses chatons.

– Je voudrais que tu aies un enfant, dit Perle brusquement. Maintenant. Un enfant... de maintenant, répéta-t-elle avec pudeur. Comme ça, j'aurais l'impression de rester avec vous.

Elle descendit lentement à genoux sur l'herbe et je l'imitai.

Quelle douceur dans ce cimetière-jardin avec cette sainte famille de soie ronronnant sur une tombe.

Combien de temps sommes-nous restées immobiles dans la douceur de l'air? La chatte s'était endormie. Parfois un bébé, en tétant, aspirait l'air comme une grenouille gobant une mouche.

– Nous sommes allés à Prinkipo, dit Perle.

– Nous?

– Igor et moi.

Je me sentis brûlée au cœur. Il ne m'en avait pas parlé.

– C'était le premier dimanche après mon arrivée. Il m'avait raconté Belles-Fontaines, le livre de cuisine, les bijoux, sa grand-mère débarquant dans l'île des Princes avec Catherine et le petit Paul...

Le sanctuaire, Igor, le sanctuaire...

– ... il voulait essayer de retrouver la maison où elles avaient vécu... et surtout la tombe du petit garçon. Nous avons marché plus d'une heure, lisant chaque inscription, chaque date, mais du petit Pavel Alexandrovitch Tchetchevitchine, aucune trace. Alors il a dit : « On va rentrer, j'ai dû me tromper d'île ou de cimetière. Et puis tout ça n'a aucune importance, on n'en parle plus ! »

Elle posa ses mains, paumes à plat, sur l'herbe et murmura :

– Ça n'a aucune importance parce que les tombes sont dans le cœur des vivants. Nous avons repris le bateau, nous sommes rentrés à « Azyadé ». Il était triste. C'est ce soir-là qu'il m'a parlé de toi pour la première fois.

– Et alors?

– Et alors j'ai commencé à t'attendre, dit-elle en souriant.

Puis elle sembla s'échapper très profondément en elle-même et dit :

– Rien ne fut facile, Gabrielle. Ni pour toi ni pour moi... et pour lui moins encore. Mais on s'aimera plus que toujours, n'est-ce pas?

Je hochai la tête. Je n'aurais pu supporter le son de ma voix.

– Et si on dînait tous les trois dans la chambre? s'écria Perle si joyeusement et si fort que les chatons se réveillèrent, le museau blanc de lait, l'œil bleuté, la langue rose dépassant comme d'un tiroir mal fermé. C'est pas une bonne idée, ça?

148

Une minute plus tôt, nous étions assises sur les bords de l'avare Achéron, un mouchoir de crêpe à la main, et la voilà qui tape dans ses mains, compose le menu et commande le champagne.

Comment lui en vouloir?

Quand nous nous présentâmes à l'embarcadère pour prendre le bateau du retour, on allait appareiller. Nous étions aussi chargées que des fourmis dont la fourmilière a été inondée. Aux pétales de rose, aux épices, il fallait ajouter le pillage d'un büfe. Rahat-loukoums, baklavas, beignets suintants, beürek, olives, brochettes de poulet et riz dans un emballage calorifugé, melons d'eau. Le marchand avait baissé son rideau après nous avoir rendu la monnaie, fortune faite. Nous étions heureuses comme des éclaireuses revenant d'un jamboree avec des fanions et des badges.

C'était bien plus drôle de prendre le bateau que de revenir en voiture. Bien plus long aussi. Mais qui peut se plaindre de découvrir les yalis de bois et les palais de pierre à claire-voie élevés sur les rives? Et de rencontrer à bord les bergers, les mères de famille en pantalons fleuris et foulards de soie, les enfants à grandes chaussettes blanches et à regard velouté, les vieilles et les vieux tout ridés par la succession de larmes et de sourires infligés par la vie?

Près de nous, un groupe de jeunes femmes tunisiennes, des étudiantes en vacances, avaient commencé par chanter et taper dans leurs mains. Puis elles s'étaient levées et maintenant elles dansaient.

Des passagers arrivaient de tous les coins du bateau, applaudissaient, chantaient avec elles. Des verres de thé circulaient. Des sucreries. Des cigarettes.

Seule, entièrement voilée, une mince silhouette, flamme noire, se détournait de ce visage de l'Islam qui n'était pas le sien.

Perle se disposait à rejoindre les Tunisiennes pour danser avec elles quand nous entendîmes le nom de notre escale.

Le temps de trouver un taxi pour « Azyadé », d'y arriver, de sortir nos achats, de gagner l'appartement et il était dix heures du soir.

Assis devant la télé, Igor regardait avec consternation un film de l'Alain Delon turc.

Il avait l'air tellement perdu que nous fûmes prises de fou rire.

Attendre est une chose si spécifiquement féminine, n'est-ce pas?

Nous n'aurions pas dû rire comme ça. Et surtout Perle n'aurait pas dû dire ce qu'elle a dit parce qu'elle était contente et joyeuse et que souvent, dans ces conditions-là, on fait des bêtises comme un petit chien qui saute en jappant: elle a dit, la petite feuille d'or frétillant à son oreille droite:

– Tout Byzance à nos pieds, Kniaz! Des marins, des portefaix, des bergers, des étudiants, des imans, des orfèvres, des pêcheurs, des vieux de la montagne, des jeunes Turcs, des frères musulmans!

– Le restaurant est fermé, dit Igor.

– Aucune importance! On a tout ce qu'il faut, Kniaz!

– Ne m'appelle pas « Kniaz », ça m'agace.

Furioso, ma non troppo...

– On dîne sur la terrasse ou dedans? demanda Perle.

J'ai dit :

– Dedans.

Et Igor a dit :

– Dehors.

Et Perle – j'ai trouvé ça très drôle – a dit :

– Deux Français, quatre opinions!

Mais Igor n'a pas trouvé ça drôle du tout et les voilà qui s'engueulent et ça tourne en incident diplomatique, c'est tout juste si on ne va pas chercher Jeanne d'Arc et le Grand Ferré, je dis :

– Ne soyez pas ridicules!

– Laisse! dit Igor pour me montrer que leur dialogue ne me concerne pas.

Ils se regardent comme s'ils allaient sortir des couteaux. Ils s'aiment donc à ce point?

– Tu veux que je te dise?

– J'en crève d'envie!

– Tu es un homme égoïste! D'abord, « un homme égoïste », c'est un pléonasme! Tu es un homme, donc : tu es égoïste! Tu nous en veux parce que tu nous vois heureuses de notre journée! On arrive à dix heures du soir, d'accord! On a failli louper le dernier bateau, d'accord! Mais on ne l'a pas loupé! Et on a tout prévu! Pour toi! On va te nourrir, Maître! On va te servir, Seigneur!

Igor la regarda en silence puis il dit doucement :

– Tu peux t'en aller, Perle. Bonsoir.

Je ne savais pas qu'il fallait si peu de temps à un visage pour se défaire. Sans un geste, sans un son, Perle passa de la colère à l'anéantissement. Elle perdit ses couleurs, sa bouche trembla et les larmes qui l'inondèrent semblaient sourdre de sa peau. Elle était si misérable que je crus qu'elle allait tomber. Elle leva les yeux sur Igor – impassible – comme un loup blessé qui offre sa gorge :

– Embrasse-moi...

Et moi j'étais là, comme invisible, comme absente, et je vis, lentement, au ralenti, Igor se pencher sur elle, l'entourer de ses bras, poser ses lèvres sur les siennes et oublier qu'autre chose existait que ce baiser.

Je croyais avoir vu pire.

Non. Car rien n'est plus beau qu'un baiser.

Il est l'emblème de l'amour.

Il se referme sur lui-même comme sur un monde clos. Je le savais depuis que tu me l'avais appris...

Éblouie, blessée, je suis partie. Doucement. J'ai

refermé encore plus doucement la porte de la salle de bains. Refuge. J'ai fait couler de l'eau. Je me suis lavé les mains, longuement, éperdument. Comment disait-elle, déjà, la Lady?

« ... et tous les parfums d'Arabie ne viendraient pas à bout de cette petite tache... »

On n'échappe pas aux lois de l'espèce, Gabrielle. Même avec son cœur. On n'échappe pas aux lois de l'amour élémentaire.

Je me regardais dans la glace et je n'arrivais pas à me voir. Annulée. Éteinte. Une goutte de son sang à lui, une goutte de son sang à elle sont tombées sur moi et m'ont effacée. Je n'existe plus.

Puis quand mes mains furent roses et brillantes comme des cervelas, je suis revenue vers eux.

Ils mettaient le couvert.

Dedans.

Toute trace de baiser, toute trace de conflit avait disparu.

J'aurais cru avoir rêvé si Perle n'avait pas eu les yeux de quelqu'un qui a pleuré.

Ils m'ont souri.

J'ai souri aussi.

Igor a débouché la dernière bouteille de Nogarède et le bruit du bouchon m'a rendue à moi-même.

Il m'a tendu un verre et m'a regardée boire.

Perle me regardait aussi.

Ils m'aimaient. Je les aimais et la vie n'était pas possible.

Nous nous sommes assis et nous nous sommes mis à manger comme des bêtes en piquant directement dans les cartons du büfe et les barquettes de plastique. Perle a éclaté de rire :

– Le cinéma, c'est quand même la cinquième dimension! « Azyadé Palace », suite du Prince Igor, dîner de gala, deux couteaux pour trois, verres à dents pour le bordeaux, Kleenex comme serviettes, paréo comme nappe! La roulotte!

— C'est ce que je préfère, dit Igor, la roulotte. Ça fait tout pardonner à ce film idiot.

— Je pardonne tout à ce film idiot, dit Perle, parce que grâce à ce film idiot j'ai pu connaître Gabrielle.

— Merci pour lui! dit Igor.

On a ri comme ça jusqu'à l'avant-dernier loukoum quand, brusquement, Perle a vu l'heure :

— Une heure moins dix! et on se lève à cinq heures trente!

Elle nous a embrassés sur le front, a voulu m'aider à ranger, j'ai dit : « laisse! », elle a regagné sa chambre en courant. J'ai mis de l'ordre dans la roulotte, j'ai remonté le réveil à 5 h 30, j'ai éteint dans le salon et je suis allée me coucher.

Igor dormait déjà.

Le lendemain, Perle recevait un coup de fil lui demandant de revenir à Londres de toute urgence pour des essais.

Il lui restait un jour de tournage. La production voulut bien en avancer la date pour la libérer.

Je l'aidai à faire ses bagages, elle avait si peu de temps. Il lui fallait absolument attraper l'avion du soir.

Je ne la vis pas s'envoler...

Au moment où nous nous apprêtions à l'accompagner à l'aéroport, Clementina et ses bagages apparurent.

La même voiture les emmena.

Nous sommes restés devant la porte de l'hôtel.

Güle güle gidin!

C'était fini.

Perle partie, « Azyadé » me fit horreur.

Il restait encore quinze jours avant la fin du film et je savais que je ne tiendrais pas jusqu'au bout.

Suivre Igor sur le tournage avec un petit pliant? Tenir compagnie au chameau? Aller me baigner avec les nains? Tricoter avec Patty?

Il y avait une chose plus grave que l'ennui des jours. Il y avait les scrupules de la nuit. En nous retrouvant seuls, en reprenant nos habitudes à deux, nous avions l'impression de faire quelque chose de mal. D'indélicat. De pas juste.

Bien sûr, il aurait fallu en parler : mais le sceau du silence ne pouvait être rompu dans les lieux qui avaient connu Perle et ce qu'il fallait bien appeler nos amours.

Brusquement je voulus partir. Très vite. Le lendemain. Tout de suite. J'avais fait mon plein de turqueries. Je voulais respirer un autre air. Devant un autre décor. Je voulais être seule pour pouvoir penser sans que quelqu'un lise en moi. Sortir du « Harem ». M'en évader pour toujours.

J'eus envie de connaître Alep.

C'était un vieux rêve. J'eus envie de découvrir la ville où Nour ed-Din et Foulques avaient joué au « schah de Perse », lancé leurs faucons, et chevauché, éperon à éperon, un guépard en croupe.

— Alors il faut que tu ailles voir mon ami Labib Chakkour, me dit Igor. Il ne sort plus jamais de son palais mais il sait tout ce qui s'est passé et se passe dans la ville et dans le pays.

Il l'appela au téléphone, me confia à lui, s'ingénia à rendre mon voyage plus facile, pressa mon départ, insista pour m'obtenir un billet dans le vol le plus rapide, l'obtint, s'en réjouit.

Et fut infiniment malheureux.

A Atatürk Airport, au moment où j'allais disparaître, il me retint par la main :

– Tu ne me quittes pas, Gabrielle? me demanda-t-il.

Je ne pus lui répondre, l'hôtesse avait déchiré ma carte d'embarquement et me poussait vers la porte. On ne remonte pas le courant.

Le cœur serré, je marchais docilement sur la piste au milieu des autres passagers, quand j'entendis mon nom.

Au-dessus d'une clôture de barbelés, Igor me faisait des signes.

Le revoir fut une telle joie que je criai, comme il l'avait fait à Dubaï, au cœur d'autres contraintes :

– Я тебя люблю !

A l'aéroport d'Alep, un petit vieux, tout bossu, regard perçant derrière de grosses lunettes, fines moustaches et mains menues voletant autour des paroles, s'inclina devant moi.

– Madame Nogarède de Martin, dit-il, réunissant ainsi la femme et le mari et tenant à saluer au passage les nobles origines de l'époux.

Je crus que Labib Chakkour avait fait une entorse à ses habitudes et était venu à ma rencontre. Mais le petit bossu n'était qu'un messager, envoyé pour me souhaiter la bienvenue, m'accompagner à mon hôtel et me délivrer un bouquet de fleurs « cueillies dans le jardin de monsieur le consul ». Car Labib Chakkour était consul de Norvège à Alep, pays qu'il n'avait jamais visité, et position qui lui valait plus d'honneurs que de tracas, le Viking s'aventurant parcimonieusement en Syrie.

Je ne revis jamais le petit bossu. Il faisait partie de cet essaim de créatures fabuleuses que l'Orient vous réserve, qui semblent sortir des murs, d'une fente de rocher, ou se matérialiser d'une fumée avant de rejoindre le pays des djinns et de Tartour d'où ils observent patiemment le monde illogique des vivants.

– Monsieur le consul a retenu pour vous une belle chambre au « Seldjoukide », qui est un hôtel très confortable, notre magnifique hôtel « Méridien » ne devant être prêt que la saison prochaine.

Le petit bossu était parfumé comme une cadine qui a reçu le mouchoir du sultan. J'avais l'impression de rouler dans un flacon.

– Monsieur le consul vous recevra demain à onze heures, il vous gardera pour un mezzé. Je crois savoir que vous aurez comme accompagnateur à travers la Syrie M. Fouad Sarkis, un des plus brillants de nos jeunes professeurs. Grâce à notre cher Président, nous avons une superbe génération d'historiens et de lettrés qui peuvent aider nos chers touristes à mieux connaître notre cher pays.

– Cher monsieur, lui dis-je, vous parlez vous-même notre langue mieux que beaucoup de nos compatriotes...

– Les très chers frères des écoles chrétiennes, chère Madame, dit-il avant de se ranger à deux mètres du trottoir devant la façade rutilante du « Seldjoukide », tandis qu'un essaim de jeunes gens se jetait sur le plus infime de mes bagages avec des cris affreux qui devaient être des compliments de bienvenue.

La belle chambre du confortable hôtel faisait souhaiter ardemment l'ouverture du magnifique « Méridien ». Seul un petit morceau de savon jaune et vert, stratifié comme une tranche napolitaine, le savon à l'huile d'olive d'Alep, donnait une note câline au décor lugubre. Dans le couloir, accroupies et immobiles comme si le pinceau de Goya les y avait figées, des femmes grisâtres, le tchador mangeant le sourcil, le visage éteint, me regardèrent passer sans me voir, un chiffon terne à la main.

Je ne dormis pas de la nuit.

Deux étages plus bas – je le sus le lendemain –, un bijoutier mariait sa fille au fils d'un soyeux et je me demandai un moment si je n'allais pas me joindre à eux pour voir l'orchestre de mes yeux et découvrir quels instruments de musique étaient capables de faire autant de bruit. Puis je perdis conscience. Pas pour longtemps. La voix du muezzin, enregistrée sur bande magnétique, me tira de mes rêves. J'allai à la fenêtre. Les minarets illuminés avec leurs lettres au néon et leurs croissants absinthe me firent penser aux Vierges phosphorescentes de Sœur Rugby. L'appel à la prière, réglé au maximum, donnait une idée de ce que risquait d'être l'Apocalypse si on mettait à sa disposition les moyens d'une technologie aussi avancée que la nôtre. Il faisait bon à la fenêtre, j'y restai et, peu à peu, je vis s'évanouir les agressives lumières de la nuit pour assister à la prise de possession de la ville par la naissance du jour.

En lisant le plan que me donna l'employé de la réception, je vis que la maison de Labib Chakkour était assez proche de l'hôtel et je décidai d'y aller à pied.

On me trouva téméraire.

Mais rien ne pouvait m'empêcher de pénétrer dans la ville de Nour ed-Din.

L'animation des rues et la polychromie de la foule me firent penser à ce conte où la population d'un royaume a été changée en poissons. Les jaunes étaient les chrétiens, les verts les musulmans, les rouges les juifs et les bleus les idolâtres... mais il y avait bien plus de différences encore parmi ces hommes et ces femmes que je croisais. Chacun transportait un univers, une époque. Des jeunes femmes aux cheveux libres se hâtaient vers leurs occupations, comme les dactylos ou les employées de banque d'une ville occidentale, des étudiantes en jeans et tchador bleu, vert ou rose, descendaient en riant d'un car scolaire. Des bédouines aux longues tresses, le visage nu, vendaient des truffes des sables. Assis sous un arbre, un aveugle enturbanné froissait dans sa main des feuilles tendres avec une expression de joie rayonnante. Des garçons et des filles habillés comme Victor Hugo quand il allait au collège, taille serrée dans de grosses ceintures, basques évasées, pantalon militaire, chahutaient comme quand on a quinze ans et qu'on a la chance de ne pas vivre sous la loi d'un ayatollah. Mais nul ne pouvait oublier les silhouettes noires des femmes voilées, sans yeux, sans mains, sans pieds, plus parlantes que si elles avaient défilé avec des pancartes en proférant des menaces. Accroupi sur un trottoir, un vieillard infirme, la tête drapée de haillons gris, avait étalé ses pauvres trésors pour les vendre. Vendeur de rien, image de la patience, il attendait avec espoir puisque seule la volonté de Dieu pouvait changer la face de son destin.

Alors je m'arrêtai au cœur de la ville. Je pensais à ce diplomate du siècle dernier qui, arrivant dans la Grande Syrie, avait dit à sa suite :

« Découvrons-nous, messieurs, nous sommes en Orient ! »

« Qu'est-ce que j'aime, en Syrie, et qu'y veux-je rejoindre ? »

Pour répondre à cette question de Barrès, il me suffit de fermer les yeux.

Odeur, douceur, chaleur.

Me voici au pied d'un escalier de pierre.

– Bienvenue à la femme de mon ami, dit une forme massive penchée sur le vide.

Je gravis l'escalier, aussi rude que les degrés du Temple du Soleil.

C'est ainsi que l'on pénètre dans les palais alépins. Par une ascension.

La fleur d'oranger, le cédrat, le jasmin m'accompagnent de leurs effluves échappés d'un jardin invisible, bruissant de jets d'eau et de fontaines, jusqu'au vestibule où Labib Chakkour s'incline sur ma main et me regarde.

Des yeux de velours. C'est ça. Des yeux de velours dans un vieux visage jaune et affaissé.

– Pardonnez-moi de n'être point venu à votre rencontre. Je ne peux plus descendre l'escalier... encore moins le remonter! Je suis prisonnier de ma forteresse. Mais je puis encore vous en faire les honneurs.

Il me donna la main comme pour ouvrir un bal et nous nous en allâmes le long d'un interminable couloir tapissé de cuir de Cordoue où des bestioles à plumes et à longues pattes se retrouvaient, de fenêtre en fenêtre, dans le brocart des doubles rideaux. Puis nous entrâmes dans un salon fin de siècle, un vaste salon aux coins baignés de lumière incertaine à travers des stores de lin incrustés de dentelles, de jours et de broderies gris foncé. Tout était fané, terni, éraillé. C'était un salon à camomille, un salon de province très ancienne qui se reflétait dans de hauts miroirs de Venise, au fond desquels flottait le brouillard du temps. Sur le piano à queue, des photos de femmes très belles, très tristes, très lasses. Voyageant dans d'autres cadres, des hommes à fez et à gros ventres de marchands prospères. Pas un sourire.

Des plateaux d'argenterie, superbes et sales, étaient posés à même le sol, comme des crachoirs, dans les coins. Labib Chakkour en ramassa un, sortit un torchon à carreaux rouges et blancs du tiroir de la table contre laquelle il s'appuyait et, se mettant à astiquer deux verres minuscules avec application, il posa ses beaux yeux sur moi :

– Pourquoi êtes-vous venue nous voir, Gabrielle?

Je faillis répondre :

– Parce que j'ai des peines de cœur.

Je dis simplement :

– Parce que j'ai un ami qui a vécu ici, dans le temps.

– Ah oui? Quand?

– En 1148.

Il éclata de rire et rangea le torchon :

– Appelle-moi oncle! dit-il.

1148. Cette date l'avait réjoui.

Il réfléchit, calcula :

– C'était déjà le règne de Nour ed-Din... et, ton ami, qui était-il?

– Un seigneur d'Aquitaine. Quelqu'un de chez moi. Un comte Foulques prisonnier de l'atabeg. Ils furent grands amis.

Une ombre de tristesse passa dans les beaux yeux.

– C'est fort possible. Le Seldjoukide eut des amitiés chrétiennes. Son plus bel acte fut de respecter le cortège funèbre de Baudouin III... 1148... c'était hier! Rien n'a changé et tout est pire. Ah! les Croisades! Sais-tu que lorsque T. E. Lawrence arriva à Alep vers 1909 il rencontra un homme qui fabriquait encore des cottes de mailles?

Il se leva et alla chercher une photographie sur la cheminée.

Avant même de l'avoir entre les mains, je sus qu'elle avait été prise par Igor.

– Comment vois-tu cela?

– Je reconnais toujours une photo d'Igor. Ce sont vos petits-enfants?

– Oui, les fils de ma Leïla...

Trois petits garçons si gais qu'on avait envie de rire rien qu'en les voyant. Le plus grand avait écrit : *pepe rien à beirut*

C'était signé par Jojo, Titou et par un gros pâté, sans doute l'œuvre du dernier-né.

Labib Chakkour regarda longuement la photo, sembla sur le point de dire quelque chose, se ravisa et alla la remettre sur la cheminée, lentement, le dos lourd.

– Demain, dit-il en se retournant avec entrain, demain tu dînes au Club d'Alep avec le Gouverneur!

J'entendis le piège se refermer sur moi avec un bruit sec et j'en fus incroyablement heureuse.

J'avais besoin d'être prise en charge. D'être portée. Assumée.

Le Club d'Alep? Demain soir? Quelle merveille!

– Tout à l'heure nous parlerons de ton guide. Un garçon parfait. Un érudit. M. Fouad Sarkis. La Syrie fait partie de l'Histoire de France. Un Capétien s'y arrêta quatre ans, ne l'oublie pas! Nous allons boire à sa santé et...

La voix du muezzin tomba sur nous si cruellement qu'il faillit lâcher le flacon qu'il venait de saisir sur un plateau.

Montrant le poing au plafond brumeux de son salon, hors de lui, il criait presque aussi fort que la bande magnétique.

– Vendre Dieu comme du soda! Quelle honte! Quel viol des âmes! Et, pour nous, Arabes chrétiens, quelle atteinte à la liberté!

Arabes chrétiens...

C'était la première fois que j'assistais au mariage de ces deux mots.

Arabes chrétiens, juifs catholiques, Blancs de couleur...

Lisait-il dans mes pensées? Avait-il une telle habitude de notre manque de curiosité pour l'Orient?

– Votre ignorance... dit-il tristement. Si, au moins, les Croisades avaient permis à l'Occident d'ouvrir les yeux sur nous! Mais non! Les Croisés sont venus pour reconquérir le tombeau de Notre-Seigneur et ils en sont revenus avec l'échalote pour tout trophée! Ils ont refusé de comprendre de peur d'attraper la civilisation des autres! A ta santé!

C'était un alcool de figue, doux et fort. Une liqueur très chrétienne.

– C'était si beau, autrefois, l'inégalable proféra-tion de la prière... comme nos cloches timides qui annonçaient au musulman qu'il était midi. Nous partagions nos fêtes et nos gâteaux. Le soir de Noël, ils venaient à la messe de minuit se réjouir de la naissance de Jésus... et puis les intégristes se sont glissés dans le bon grain et ont tout gâté. Tout détruit. C'est quand la Foi chancelle qu'elle fustige et qu'elle frappe! Regarde!

Il se tourna vers la cheminée et désigna la photo des petits garçons :

– Le paradis a existé sur terre. Il s'appelait Bey-routh. Le ciel en fut jaloux. Et cette ville où chacun osait briller de sa propre lumière brille maintenant du feu de la guerre. Ce n'est que le début et d'autres villes suivront dans le brasier. Que faire? Le mari de Leïla est libanais, architecte. Où veux-tu qu'ils aillent? En Argentine, comme beaucoup l'ont déjà fait autour d'eux et même ici? Tu nous vois quitter notre Orient?

Il se mit à rire et je ris avec lui.

– Allez, viens connaître nos mezzé!

Et c'est là, en allant vers la salle à manger où tout était dressé et servi – je ne vis jamais de domestiques dans la vaste maison, le ménage n'y était d'ailleurs jamais fait mais tout y était toujours prêt comme si le vieux monsieur avait eu à ses ordres des génies fainéants –, c'est là que je te rencontrai, toi, la grande.

J'ai dit :

– Oh!

et il m'a tout expliqué. Les chiffres de poussière venus des Indes, les aiguilles perdues. Il a essayé de me faire croire que tu avais sonné douze coups le jour de la proclamation de l'Indépendance, il m'a dit aussi :

– C'est amusant qu'elle te frappe à ce point parce que Igor s'arrête toujours devant elle.

Je te regarde, mon horloge intemporelle, ma momie de cèdre, ma silencieuse, et je retrouve la Syrie.

Cette Syrie-là, cette Syrie-parenthèse, ce temps où j'étais absente de moi, ce temps où j'essayais de me rejoindre à la nage comme une île. Je ne savais pas que, chaque soir, Igor appelait Labib Chakkour pour savoir comment j'allais...

Il me l'avoua bien plus tard, l'été où nous étions allés en U.R.S.S. et où, à Belles-Fontaines, ils avaient égaré la source. C'est là, dans la forêt, qu'il me raconta ses angoisses, sa peur de m'avoir blessée, de m'avoir fait du mal. De m'avoir perdue.

Moi, pendant ce temps, inconsciente, je vivais au gré de l'oncle Chakkour. Le soir, Igor lui demandait :

« A-t-elle recommencé à travailler ? »

« Non », répondait l'oncle, désolé. « Mais elle a déjeuné chez Mme Khoury, elle a pris le thé à l'hôtel " Baron " avec les filles de... »

« Il faut qu'elle recommence à travailler », disait Igor.

Il avait raison. Mais avant de reprendre mes bretelles il fallait que je reprenne mon souffle.

Le lendemain du dîner au Club, Labib Chakkour, du haut des marches, me lança, triomphant :

– Sais-tu comment on t'appelle en ville ? La belle Franque !

Ce dîner devait être l'examen de passage qui m'ouvrirait ou me fermerait la porte de la société d'Alep. Il paraît que j'avais été reçue avec mention. Je ne peux plus penser à eux, à ces musulmans si doux, à ces chrétiens aux yeux sombres, à ce banquier juif timide, sans avoir le cœur serré en évoquant la journée où, des années plus tard, le consulat de France ayant été supprimé à Alep, ils prirent tous le deuil et, pendant vingt-quatre heures, restèrent silencieux et tristes derrière leurs portes fermées, dans leurs bureaux morts ou leurs boutiques aux rideaux baissés.

L'oncle me fit le récit de la soirée au Club mieux que s'il y avait assisté. Il décrivit ma robe avec un lyrisme qui aurait valu un infarctus à Glinglin, s'il l'avait entendu. Et il commença à m'apprendre son pays, à me le faire découvrir amoureusement, sans jamais se tromper dans le choix de l'accompagnateur.

L'archéologie est un domaine qui appartient à M. Sarkis mais, pour visiter les Omeyyades et l'École du Paradis, il n'y a que M. Daoud. M. Daoud qui raconte à l'ombre voilée de noir que je deviens dans les cours de marbre, au bord des fontaines purificatrices et sur les tapis de prière, pourquoi les aveugles qui gardent les chaussures à l'entrée des mosquées lèvent toujours les yeux vers le ciel. C'est parce qu'ils regardent le vol de Borâq, le cheval ailé du Prophète (à lui bénédiction et salut), le cheval dont la tête de femme est couronnée d'étoiles.

Par contre, pour parcourir les souks, il est sage de s'embarquer avec les deux superbes fils de Mme Khoury.

Oh! les souks d'Alep!

Merveilles de l'épouvante!

Entrailles de la ville, ils doivent pouvoir vous mener depuis la surface visible, c'est-à-dire depuis aujourd'hui, jusqu'à Abraham trayant sa vache rouge dans la nuit des temps.

Les fils de Mme Khoury ne me lâchent pas, comme s'ils craignaient de me voir enlever sous leurs yeux par les démons.

Quelle tentation...

Nous parcourons les galeries étroites où des jeeps et des ânes se croisent et tracent leur chemin à force de klaxons, d'imprécations et de hi-han. Cris. Musiques. Odeurs. Aucune odeur n'arrive à se défaire des autres odeurs. Le sang du mouton égorgé envoie son souffle fade sur les pièces de gaze noire d'où s'envolent des oiseaux bleus. Odeur de la mousseline, du velours, du safran, de la pistache, des clous, du fer, du cuir, du grain, de l'huile chaude, du jasmin. De l'or.

Des fils électriques courent à nu, énormes nouilles grises, pendent des murs, se mêlent, s'arrêtent. Dans une échoppe vide, assis à côté d'une bougie, un vieillard attend.

– Attention! crient les fils de Mme Khoury qui doivent penser que je suis folle et me rattrapent par un bras, par la ceinture en me voyant m'engager dans un boyau désert et noir. Pas par là!

Et ils m'entraînent au milieu de robes qui pendent comme les femmes de Barbe-Bleue. A l'infini.

Enfin, un soir, Labib Chakkour peut dire à Igor que j'ai repris le travail.

Rives de l'Euphrate, eaux transparentes du fleuve, merci! J'avais oublié que tant de pureté pouvait couler sous nos yeux. Et, brusquement, j'ai besoin de voir le monde à travers la petite lucarne du viseur.

Ce geste me rend la lumière.

Je suis photographe.

Je regarde. Je raconte.

Les petits enfants joyeux sur le chemin de l'école, les adolescents vêtus de longues robes qui s'en vont par les champs, un livre de classe à la main, les ânes aux pattes entravées qui semblent méditer sur un point d'exégèse sous un figuier, la vigne couchée sur la terre, joue contre joue, en amoureuse, les moutons chevelus, les femmes sarclant en robes brodées tandis que leur bébé dort au creux d'un foulard noué à une fourche d'arbre comme si la cigogne venait de l'y déposer.

Syrie, grand livre ouvert à chaque page de l'histoire de l'humanité, musée en plein ciel où l'herbe pousse entre les marbres, cimetière de royaumes naufragés dans les sables, je te parcours pour mieux t'aimer, avec une telle frénésie que, bientôt, c'est mon guide qui me suit.

Bottes de sept lieues qui me mènent de la paix de Saint-Siméon à Ébla, verte soucoupe volant à travers les millénaires, bottes de sept lieues qui me font franchir d'un bond les plaines et les collines qui séparent le château de Saladin du Krak des Chevaliers et qui me conduisent à travers le désert jusqu'à Palmyre la blonde où m'attend une image.

L'image d'un couple, taillée dans la pierre au début de notre ère pour l'ornement d'un tombeau. L'image d'un couple s'embarquant pour l'éternité, uni ou réuni, serein. C'est le geste du mari vers sa femme, cette tendre sollicitude au seuil de la mort, cette main posée sur une épaule, cette attitude qui semble vouloir écarter toute crainte, toute angoisse qui arrête ma course et me renvoie à toi.

Je suis rentrée sans prévenir.

En tournant ma clef dans la porte, je me demandais si je le trouverais, s'il était là. Si j'allais le voir...

Mon cœur battait comme en cette première nuit où il était revenu de Karachi avant la date prévue.

Il était sur la terrasse et ne m'entendit pas approcher.

Je le regardais, à genoux devant ses arbres, absorbé, grave, les mains dans la terre. J'avais envie de me jeter sur lui. Et je n'osais pas bouger.

Il a aperçu une ombre sur la petite forêt et, lentement, il a tourné la tête. Je suis descendue contre son corps, il m'a serrée dans ses mains sales, il a dit :

« Toi! » et ça allait très bien.

On n'était pas guéris mais sauvés.

On ne pouvait pas en dire autant du bouleau de fer. Il avait eu trop chaud pendant notre absence. Il était tout sec. Les autres avaient tenu le coup, pas lui.

On a gratté, aéré le sol, fait couler de l'eau tout doucement et, tout doucement, parlé aux autres arbres. C'est triste la mort d'un petit bouleau. J'ai demandé à Igor de ne pas le déraciner, de le laisser encore un peu sous la protection de la forêt. Il serait toujours temps de l'arracher, de l'allonger dans un coin de la terrasse. Puis de le brûler. Pour qu'il reste avec nous jusqu'au dernier moment. Jusqu'à la dernière flamme sur la dernière braise.

Jusque-là, nous n'avions dépensé qu'un minimum de mots. Voluptueusement, comme un chat, je reprenais possession de la maison. De ses odeurs, de ses couleurs, de ses formes. Ou bien était-ce la maison qui reprenait possession de moi ? Le bruit rassurant du Frigidaire semble tisser le filet de la vie quotidienne et partagée. Je regarde la terre qui coule de nos mains noires dans l'évier.

– Qu'est-ce qu'on boit ce soir ? demande Igor, et je glisse un Lafaurie-Peyraguet dans le bac à rafraîchir.

Igor m'acclame. C'est ce Sauternes-là qu'il voulait, me dit-il avant de m'entraîner vers la chambre :

– Viens voir !

Autour de Monsieur notre lit, la moquette disparaît sous les photos du « Harem ». Je pousse des cris. Cavaliers moustachus enlevant des odalisques deminues, chevaux cabrés, janissaires sabre au clair, jardins sous la lune, Oum au milieu des combattants, Noirs, nains, ombres voilées, corps dévoilés, danseuses, musiciennes, chanteuses, cadines et sultanes... Delacroix ? Chassériau ? C'est beau !

– Oui, dit Igor, le film sera beau. Malheureusement il ne sera pas muet.

Un peu à l'écart, une photo en noir et blanc. Perle. Si souriante et si triste.

J'ai demandé :

– Tu as des nouvelles ?

Il a dit non et, en silence, il a commencé à ranger ses épreuves.

Alors je suis allée chercher les miennes.

J'ai écarté les paysages. Je n'ai étalé que des visages de femmes. Côte à côte les bédouines au front tintinnabulant de sequins et d'amulettes, les bourgeoises avec leur mise en plis plus serrée que le café, les romancières nimbées de fumée de cigarette, les poétesses à la chevelure bouclée

168

comme la barbe d'Assuérus, la danseuse au corps plein et dur, la petite fille du désert peignée par le vent et le sable. Et même Justina, l'étudiante polonaise rencontrée au Krak des Chevaliers.

– Il faut faire un livre, a dit Igor.

C'est drôle, j'y ai pensé, j'ai même trouvé un titre : « Les Filles de la Mer Intérieure ». Et je l'ai trouvé en voyant Justina, sale, pas très belle, en haillons universitaires, blonde et affamée, monter vers le chemin de ronde, mettant ses baskets effrangées dans la trace des chevaux des Croisés. Cette Cracovienne aux mèches de lin n'avait rien d'une Méditerranéenne mais elle était la voyageuse et les pays n'existent pas seulement par ceux qui les habitent mais par ceux qui les traversent.

– Toutes ces images sont le début d'un roman, la clef d'une énigme... elles sont prises de l'intérieur de ton cœur.

Igor tient entre ses mains ma photo préférée de Justina :

... de la plus haute tour du Krak, M. Sarkis nous montre le Liban tout proche, la Bekka, le scintillement de la mer... brusquement, un oiseau a jailli d'un créneau et plongé vers la guerre.

« J'aurais voulu voir une colombe », a dit Justina.

C'est ça, la photo.

Igor la pose au milieu des autres.

– Que d'amour, dit-il en suivant le contour de mon visage de sa main.

Puis il se lève brusquement et part chercher son Nikon.

– Ne bouge pas! Regarde-moi!

L'agrandissement est là, sur le mur. Myrîam l'appelle « la photo où tu fais ta prière ».

Bon diagnostic, petite.

Igor. Prière pour retrouver Igor. Et je le retrouvai,

brutalement, à même le sol, avec son odeur, le goût de sa peau, la caresse de sa voix, ses tendresses, ses violences, tout ce qui me mène jusqu'à l'instant chavirant où je ne sais plus où sont tes limites, où sont les miennes.

Il fait si chaud que tout est devenu brusquement immobile.

J'ai dû quitter ma passerelle. Je me suis mise à l'abri à l'intérieur. L'île cuit. Il faudra arroser ce soir si je ne veux pas avoir de victimes. J'aime le moment où les tiges se redressent, où les feuilles flétries reprennent du corps, où la vie circule de nouveau dans ce que l'on croyait à jamais perdu.

Le petit bouleau... nous avions bien fait de ne pas l'arracher, de faire semblant de l'oublier... un matin, à la fin de l'hiver, un soleil enrhumé venait de se poser sur Paris et les dernières plaques de neige de la terrasse, je suis sortie, bien couverte, pour respirer les timides promesses du printemps et j'ai vu, à la base du tronc, trois jeunes pousses, trois langues roses comme un champignon des prés. Il ne faut jamais croire à la mort des arbres. Il faut encore moins l'accepter. Depuis sa résurrection, le bouleau de fer est encore plus beau qu'avant.

Quelques mois après notre retour, je reçois un coup de fil de Londres :

— C'est Perle... j'aimerais te voir. Je serai demain à Paris. 15 h 30 au « George-V », ça va ?

— Ça va. Mais Igor ne sera pas là, dis-je, honnête, il est absent pour...

— C'est toi que je dois voir, affirme Perle. A demain. Je t'embrasse.

C'est tout.

Longtemps après avoir raccroché, je regarde l'appareil comme s'il résonnait encore du son de sa voix.

Perle. La joie de la revoir, de l'entendre, de la retrouver... La peur aussi...

Je suis toujours très exacte, pli professionnel. A 25 j'étais au rendez-vous. On m'a dit à la réception du « George-V » que Mlle Vanilo m'attendait dans le salon. J'ai vu une jeune femme très élégante se lever d'un vaste fauteuil dans le coin le plus tranquille de tout l'hôtel, le mieux fait pour une conversation discrète.

Nous nous étions connues pieds nus sous le soleil et nous allions l'une vers l'autre en tailleur Chanel et blouses de soie. Deux étrangères. C'était bien nous, pourtant, et la petite feuille d'or se balançait toujours à son oreille.

– Oh! Gabrielle, murmura-t-elle tandis que nous nous embrassions, les yeux humides.

Nous avons commandé deux thés et des pâtisseries pour qu'on nous laisse tranquilles le plus longtemps possible. Nous nous regardions sans pouvoir parler, en souriant, bouleversées.

Elle s'est mise à raconter la première. Elle était de passage à Paris pour essayer les robes qu'elle porterait dans une longue série qu'elle partait tourner en Australie pour la télévision. « Il faut que je sois élégante comme une Parisienne », conclut-elle en riant.

C'était formidable, elle jouerait le personnage principal de la série et, riant toujours, « l'Australie est très loin de ma mère! ».

Très bien, très bien, c'était formidable, mais je savais bien qu'elle n'avait pas voulu me voir seulement pour me parler de sa carrière.

– Pourquoi n'es-tu pas descendue à la maison? lui demandai-je. Nous aurions été si heureux de t'avoir près de nous...

– Merci, me dit-elle, merci, Gabrielle, je ne savais

pas comment aborder le sujet. Tu m'aides... je ne suis pas descendue chez vous parce que je ne veux pas vous revoir.

Il y eut un long silence immobile, puis le thé arriva. Elle le servit et me tendit ma tasse :

– Tu dois sans doute deviner que ce n'est pas faute d'amour, mais parce que je ne suis pas encore guérie.

Ses yeux étaient de plus en plus brillants mais nul ne pouvait se douter de son trouble en la voyant verser le thé dans sa tasse, remettre de l'eau dans la théière, le dos droit, infiniment british.

– Je vous reverrai le jour où je serai sûre de ne plus aimer Igor. Enfin, de ne plus l'aimer comme je l'aime. Comme il ne faut pas, acheva-t-elle en souriant.

Courageuse. Elle ne voulait rien oublier, rien laisser dans un flou confortable. Elle était venue rompre, en quelque sorte.

– Tu te souviens de ce matin où je pleurais quand tu t'es réveillée? Je vous regardais dormir dans les bras l'un de l'autre et je me disais : que fais-tu entre cet homme et cette femme? tu n'as pas le droit. Et puis cette promenade à Istanbul, merveilleuse! j'avais envie de te dire merci, de te baiser les mains, de te demander pardon.

– Perle!

– Tu n'as jamais cherché à faire valoir tes droits.

J'éclatai de rire. Faire valoir mes droits. Quels droits? Qui a des droits? Sur qui?

– C'est du reste pour ça que les choses sont devenues impossibles. Au fond, c'est ta faute, tout ça!

– Ma faute?

– Oui. Si tu avais piqué une crise en me voyant, si tu avais refusé la situation, si tu t'étais conduite comme les harpies d' « Azyadé » espéraient que tu te conduirais, tout aurait été plus simple.

– Tu aurais préféré?

– Non, dit-elle d'une voix profonde.

Je compris pourquoi elle m'avait donné rendez-vous dans ce salon, aux yeux de tous. Elle avait choisi délibérément un endroit où l'émotion ne pouvait pas s'installer. Et surtout pas ses manifestations apparentes.

– Après ma dispute avec Igor, le soir d'Istanbul, après ce baiser que je lui avais... imploré, j'ai vu que tu n'étais plus là...

Elle parlait avec peine, cherchant un souffle de plus en plus difficile à trouver mais je la sentais décidée à aller jusqu'au bout.

– Alors, pendant le dîner, j'ai pris la décision de partir. J'ai inventé le coup de fil pour les essais... il me fallait sortir du jeu, vous quitter avant la fin du film, ne pas risquer de rentrer avec vous ou de vous retrouver à Paris.

– Pourquoi?

– Parce que vous ne l'auriez pas supporté. Tôt ou tard, vous m'auriez jetée. Gabrielle, tu n'as jamais rapporté un jupon ou un châle d'un marché mexicain ou andalou? En pensant que tu vas le porter tout le temps? Et, quand tu le vois, chez toi, tu le flanques au fond d'un placard!

– Tu es dure avec tout le monde, Perle.

– Oh! non, pas dure, fragile. C'est pour ça que je dois me défendre. J'ai agonisé à mon retour à Londres, je m'insultais d'être partie, j'avais besoin d'Igor comme d'une drogue, je faisais le numéro d' « Azyadé », je raccrochais à la première sonnerie, je me mettais à hurler dans mon oreiller... mais j'ai tenu.

Elle attaqua son gâteau, gracieuse.

– Très bon, dit-elle en reposant l'assiette.

Nous nous sommes souri. Ensemble nous avons dit :

– Je t'aime tellement! et nous avons éclaté de rire comme on éclate en sanglots.

174

– Si aimer était suffisant pour rendre la vie facile, ce serait merveilleux, dit-elle. Mais aimer n'arrange rien... Tiens, imagine un dîner chez toi avec Turcla, Jean et Glinglin. Et moi. En cinq minutes ils ont tout compris et ils souhaitent ma mort.

– Faux! Archi-faux! En cinq secondes ils t'adorent!

– Mais je n'ai pas dit qu'ils ne m'aimeraient pas! J'ai dit qu'ils souhaiteraient ma mort! Nuance. Je suis la dernière passagère de l'ascenseur, excédent de poids, je dois descendre.

– Qu'est-ce qu'on va faire? demandai-je en plein désarroi.

– On va se dire adieu.

Adieu? quel vertige...

– Peut-être pas vraiment adieu, continua Perle, c'est trop « dramatistique » comme dirait Clementina, mais on va se quitter le temps de se refaire un regard, une pensée... Je suis sûre qu'un jour...

Elle ne finit jamais sa phrase, le métier venait de la reprendre. Sous la conduite d'un chasseur, une ménagerie avançait vers nous en rugissant de joie. Le metteur en scène australien, la coiffeuse, le costumier, un assistant, que sais-je encore? Hello! Ciao! Darling! Wouh! My God!

Perle ouvrit les bras, éparpilla quelques noms que je ne compris pas et me présenta :

– Une amie française!

Quand Igor est revenu, quelques jours plus tard, mes premières paroles ont été :

– J'ai vu Perle.

– Je sais.

– Comment le sais-tu?

Tout d'un coup je retrouvai l'angoisse.

Respiration perdue.

Comment le savait-il?

– Par elle. Ce qu'elle t'a dit, elle me l'a dit, hier, à Londres.

– Adieu ?

– Qui sait !

– Tu es triste ?

Il n'a pas répondu. Il a eu un petit rire :

– Toi, tu es triste.

C'était vrai. Mais je n'ai pas pu être triste long-temps. Quelque chose de fabuleux se préparait en moi. Je n'osais pas encore y croire mais, vraisem-blablement, j'étais enceinte.

Trois. Quatre. Cinq. Six jours de retard.

Ça ne m'était jamais arrivé. Depuis le jour où – j'avais douze ans – je m'étais levée de table avec une fleur rouge étalée dans le dos de ma jupe blanche, j'avais été un miracle de régularité.

C'était l'été, ce jour-là papa était à Pauillac, j'étais seule avec Karl à la maison. Il a dit :

– Kätzchen, on va changer la robe parce que maintenant tu es grande ! Il a ajouté : « C'est magni-fique ! » et, pour me prouver que c'était vrai, il m'a baisé la main, comme à une dame.

Souvent des filles m'ont dit leur honte, leur dégoût, leur humiliation devant leur première tache de sang. Moi, ce fut un jour de gloire. « Magnifi-que ! » Surtout quand mon légionnaire m'assura que « plus tard tu auras des enfants ».

Et voilà que le moment était venu.

Le septième jour je me suis précipitée chez mon gynécologue. « C'est encore tôt, a-t-il dit, mais on va faire un test. »

Je ne suis jamais allée chercher le résultat. Dès le lendemain j'étais renseignée.

– Un peu de fatigue, a dit le docteur pour expli-quer ce retard inhabituel. Ou bien alors un choc. Un choc émotionnel. Avez-vous eu un choc émotionnel ces derniers temps, madame ?

C'est là que l'horreur a commencé.

La Faculté entra dans nos ébats comme un arbitre, comme un juge de touche. On nous explora comme des planètes inconnues pour savoir si la vie était possible sur Igor ou sur Gabrielle. Très vite, Igor cessa d'intéresser les explorateurs. Il était bon pour le service. « Un sperme de donneur », s'émerveilla le professeur P... Moi, c'était plus compliqué. J'étais tellement normale que ça ne présageait rien de bon.

Ils m'ont tout fait et j'ai tout subi, des explorations fonctionnelles aux courbes de température, des cœlioscopies aux investigations dans la plomberie.

Ça n'était pas encore la vogue des mères porteuses et des bébés-éprouvettes, heureusement car nous ne l'aurions supporté ni l'un ni l'autre. La seule idée de me faire instiller un bébé dans les trompes comme on se met des gouttes dans le nez me révulsait. Et tous les vingt-huit jours, implacable, rouge de honte, le constat d'échec.

« Vous n'avez jamais été enceinte, madame ? Vous êtes pourtant mariée depuis des années. Et vous dites que vous n'avez jamais pris aucune précaution ? Vous avez toujours des rapports avec votre mari ? A propos, quelle fréquence, les rapports ? Êtes-vous crispée pendant les rapports ? Éprouvez-vous une sensation de brûlure ? Changez-vous souvent de partenaire ? Avez-vous essayé une analyse ? Y a-t-il, dans votre famille, d'autres cas de stérilité ? »

Stérilité.

Le mot était lâché. J'avais voulu savoir. Je savais. Je luttais encore :

« Mais, docteur, puisque tout va bien ! Puisque tout est normal ! »

« Justement. C'est ce qu'on appelle la " stérilité inexpliquée "», me dit-il. Il n'y a rien à faire, cependant ne perdez pas espoir, tout peut arriver. »

Chaque enfant que je voyais, chaque gros ventre que je croisais était pour moi l'image de ma déroute. Je me disais :

« Regarde ce que tu n'es pas capable de vivre. »

– Je suis enceinte.

Qui a dit ça?

Turcla.

Turcla a dit :

– Je suis enceinte.

Elle est assise à son bureau, elle vient de ranger ses crayons de couleur, elle les a alignés comme des soldats à la parade. Elle a jeté son « œil de vieux » au fond de son grand sac mou. Il est près de huit heures du soir. Tout le monde est parti. Il n'y a plus personne que nous.

Nous et ce scoop qu'elle me balance en plein cœur :

– Je suis enceinte.

C'est merveilleux!

Il paraît que non. Ce n'est pas merveilleux. C'est épouvantable. Elle ne peut pas garder l'enfant.

– Tu es malade?

Elle me rassure. Elle va bien. Ce n'est pas pour ça qu'elle ne peut pas garder l'enfant. C'est à cause du père.

– Il est malade?

Elle me rassure encore. Il va très bien aussi mais il l'a suppliée de ne pas aller au bout de sa grossesse.

J'ai besoin d'entendre les mots.

– Il t'a demandé?

– De ne pas le garder.

– Il n'aime pas les enfants?

– Il en a neuf.

– Neuf? Eh ben, dix, ça lui fera un compte rond!

Je commence à m'énerver, moi... et ça ne s'arrange pas du tout quand elle me brosse le portrait du généreux donateur.

Un saint, à l'en croire.

D'ailleurs elle l'a rencontré à Rome.

J'ai dit bêtement :

– Au Vatican.

et elle a demandé :

– Comment le sais-tu?

Je suis restée sans voix, m'attendant à de pourpres ou violettes révélations. Quand elle a compris que je pensais à un prince de l'Église, elle a éclaté de rire.

– Laïque, a-t-elle dit. Ne rêve pas! Mais très catholique, très militant, très rigoriste, son père était garde-noble...

– Garde quoi?

– Garde-noble, l'ancienne garde du pape...

Je cherche à toute vitesse qui cela peut être, je pense aux deux ou trois chevaliers servants avec qui elle sort quand Jean et Glinglin ne sont pas libres. Qui? Le baron balte borgne? Le cousin austro-hongrois à tête de cheval?

– Tu ne le connais pas, dit-elle brièvement.

– Je ne l'ai jamais vu?

Elle hésita avant de dire :

– En tout cas tu ne nous as jamais vus ensemble. Personne. Étant donné sa situation ça n'était pas possible. C'est d'ailleurs pour ça qu'il m'a demandé de tout faire pour éviter un scandale.

Il me plaît de plus en plus.

– Et ça dure depuis longtemps?

– Bientôt quatre ans.

Découverte de la face cachée de ma meilleure amie. Depuis bientôt quatre ans, sa vie est remplie par un monsieur que je n'ai ni vu, ni soupçonné, ni deviné... Homme marié, père de famille, pépé peut-être?... je croyais que nous savions tout l'une de l'autre... mais moi-même, lui ai-je dit notre aventure avec Perle? lui ai-je seulement fait part de ma stérilité? C'est le moment de lui raconter ma malédiction, non? Ce que je fais, avec tous les détails les plus pitoyables, et je conclus en disant que, si elle est vraiment décidée à ne pas avoir son enfant, je lui demande de le mettre au monde. Pour moi.

– Cet enfant, Turcla, tu vas me le donner. On partira en Chine, au Mozambique, en Terre de Feu, où tu voudras. On racontera qu'on fait un reportage toutes les deux et, quand on reviendra, j'aurai eu un bébé!

Elle s'est mise à sangloter et à dire que ce n'était pas possible, que ce serait monstrueux et moi je la berçais et je savais que j'avais gagné. Il avait suffi de lui proposer de donner son enfant à des gens qui ne pouvaient pas en avoir et qui se trouvaient être ses meilleurs amis pour qu'elle comprenne que cet enfant était le sien, pour qu'elle veuille le garder, pour qu'elle soit prête à le défendre.

– Tu n'as rien à voir avec ce garde-noble de mes fesses! disais-je quand Mme Gonzalves est entrée pour faire le ménage.

Turcla dans mes bras, j'ai crié :

– Une seconde, madame Gonzalves!

et Mme Gonzalves a refermé la porte, ravie de pouvoir raconter que les zournalistes c'est lesbiennes et tous les vices au zournal!

Pauvres de nous. Je la berçais, je la secouais, je ne sais pas au juste, et je lui disais :

– Je ne te laisserai jamais faire ça, Turcla, tu ne t'en remettrais pas! Pourquoi ne m'as-tu pas parlé plus tôt?

– Il m'avait dit, hoquette-t-elle, il m'avait dit : « Pas un mot à votre amie! »

Je le hais, ce bien-pensant. Je lui souhaite de perdre ses dents, ses cheveux. Sa queue, bien sûr, pour qu'il soit définitivement inoffensif. Je ne suis pas croyante, ce n'est donc pas la religion qui m'influence, mais je sais ce que peut souffrir un corps à qui est refusée la joie de donner la vie. Et c'est contre des pratiquants que je dois lutter! Les sanglots de Turcla s'apaisent, elle se mouche, essuie ses larmes, sort son poudrier, se regarde, respire à fond, dessine sa bouche et me dit :

– J'ai envie d'escargots avec plein d'ail!

On s'est retrouvées toutes les deux aux Halles au « Pied de Cochon ». Dans son état, pas question de véhiculer Turcla sur ma moto. Elle avait pris un taxi.

Les escargots étaient divins et nous étions soulagées.

– J'ai pleuré des nuits et des nuits... je ne pouvais pas me décider... il me disait : « Turcla, un peu de courage je vous prie, bientôt il sera trop tard... »

Ne me parle plus de lui, Turcla, ne me parle plus de lui! Parlons du bébé. Un garçon? Une fille? Tu t'en fous. Tu as raison. Quelle aventure! On va tous être gâteux! Un dessert? Un café? Rien. L'addition, il faut se coucher de bonne heure quand on attend famille.

En nous donnant nos manteaux, le garçon nous dit :

– Ça s'est rafraîchi depuis tout à l'heure. Vous êtes en moto, madame Nogarède? Alors il faut faire attention.

Je promis, et, devant la porte, comme je promettais, je vis Turcla s'envoler sur une plaque de verglas et aller s'aplatir deux mètres plus loin. J'ai eu très peur. C'est comme ça qu'on se casse un bras, ou une jambe. Puis je vis qu'elle n'avait rien et j'éclatai de rire parce qu'elle était très drôle, à quatre pattes, me regardant avec stupeur avant de se mettre à rire elle aussi, car le garçon qui s'était précipité pour la relever venait de tomber à son tour.

181

Elle n'avait rien. Juste une petite écorchure à une main qu'elle n'avait pas encore gantée. C'est du reste pour ça qu'elle avait perdu l'équilibre, elle essayait de mettre son gant.

Je l'ai confiée à un taxi qui a juré d'être prudent et, de mon côté, tout doucement, je suis rentrée avec ma Kawazaki.

J'ai illuminé la maison, la terrasse, la petite forêt. Je répétais à haute voix :

– Turcla maman! Maman Turcla!

Puis j'ai tout éteint, je me suis endormie pensant à la tête d'Igor quand je lui raconterai tout ça à son retour. J'ai rêvé de bébés qui faisaient la course à cheval sur des escargots roses et bleus...

Quelle déchirure que le coup de fil dans mon sommeil.

3 h 25...

– C'est Turcla. Ça va mal, Gabrielle. Je me vide de mon sang...

Je n'ai pas pris la moto. Turcla habite à peine à dix minutes de chez nous. J'ai couru en essayant de ne pas glisser. Je suis tombée deux fois.

Je me vide de mon sang...

C'était vrai. Il y avait du sang partout chez elle. L'hémorragie l'avait prise en plein sommeil en même temps qu'une douleur profonde, aiguë, la réveillait.

– Tu as appelé le S.A.M.U.?

Elle fit non de la tête et perdit connaissance. Je la tenais contre moi. J'étais affolée, éperdue, je lui parlais, je lui embrassais les cheveux, je voyais son nez se pincer, son teint devenir livide, je n'osais pas la lâcher. Le médecin fut là très vite mais cette attente fut pour moi une éternité.

Nous l'avons descendue à nous deux. Une poupée de chiffons. Dans la voiture j'ai plié sous elle un peignoir de bain.

Ils sont partis. Le sang était toujours là. Partout. Odeur fade de la vie qui s'en va.

Turcla si pudique, si secrète, dont on suit la trace rouge sur les tapis, sur la moquette...

J'ai rangé, lavé, frotté, brossé.

Puis j'ai appelé un taxi pour me conduire à l'hôpital. Je n'avais pas d'argent. Oublié d'en prendre. J'ai fouillé dans le sac de Turcla, j'ai fait tomber l' « œil de vieux », je l'ai ramassé, comme une voleuse j'ai pris des sous et des billets dans son portefeuille. Puis j'ai rassemblé quelques affaires, quelques objets de toilette dont elle pouvait avoir besoin et je suis descendue.

A l'hôpital, on m'a dit que pour le bébé c'était fini.

Elle dormait.

Dans son sommeil elle a dit :

– Paul...

et je me suis juré de ne jamais chercher à savoir qui était ce Paul avec sa femme, ses neuf enfants, son Saint-Sépulcre, sa situation, sa dignité, parce que je ne tenais pas à finir mes jours en prison.

Elle s'est réveillée.

Elle m'a souri. Moi aussi. Mais c'était un petit sourire. Elle a compris.

– Mon bébé est mort, a-t-elle dit.

Puis elle a tourné la tête.

Je voyais qu'elle pleurait au mouvement de ses épaules. J'avais envie de hurler, de vomir, de demander des comptes.

Turcla, ma petite fille aux longues tresses et aux énormes larmes, ma Sottiche douce comme un pétale, labourée par la douleur, le ventre déchiré par la mort, sais-tu pourquoi nous sommes incapables de mettre un enfant au monde?

Elle m'a tendu les bras et on est restées longtemps l'une contre l'autre, secouées de sanglots, les yeux secs, jusqu'à ce qu'elle s'endorme.

Une fille est entrée, a donné de la lumière, poussé un chariot et glapi :

183

– Petit déjeuner!

J'ai fait : chut! elle a posé un plateau, bing! et est sortie en claquant la porte, bang!

Peu de temps après, on m'a mise à la porte. C'était trop tôt. Ou trop tard. Pas l'heure.

Je suis rentrée à la maison à pied. Dans la rue, les gens me regardaient, inquiets. J'étais livide, défaite, couverte de taches de sang séché, titubante.

Au fond, c'était bien pour Paul, cette fausse couche. Légal. Que dis-je, légal? Naturel. Un accident. Ni délit ni péché. Le pied, Paul.

J'avais oublié mes clefs, j'ai sonné. Igor venait de rentrer de Berlin et commençait à s'inquiéter de ma disparition. Ce fut pis quand il me vit. J'ai dit :

– Turcla et moi, on peut pas avoir d'enfants...

Et pour la première fois de ma vie, gracieusement paraît-il, je me suis évanouie.

Les siamoises retombèrent sur leurs pattes.

Sans doute avons-nous neuf vies comme les chats?

Une semaine plus tard, Turcla partait pour New York. Une vente de netsuke à ne pas manquer chez Sotheby's.

Moi, bardée de visas, je repartais pour le Proche-Orient. Je commençais le très long voyage qui me mènerait au bout des « Filles de la Mer Intérieure », depuis les limites asiatiques de l'Empire romain jusqu'aux colonnes d'Hercule.

Je retrouvai Labib Chakkour dans son palais poussiéreux.

– D'où arrives-tu, belle Franque?

– D'Antioche.

Il bougonna :

– Quand je pense que c'est ton Léon Blum qui a donné Antioche aux Turcs!

Puis il se désola de ne pouvoir me loger car :

– Ce ne serait pas convenable, disait-il avec coquetterie.

L'horloge était toujours là, les mezzé toujours aussi généreux, les parfums du jardin toujours aussi délicieux mais l'oncle était triste.

A Beyrouth, Leïla et son mari en étaient à leur cinquième déménagement depuis leur mariage. Ils ne fuyaient pas encore la guerre mais, déjà, ils couraient après la paix.

– Ils vivent comme on purge une peine, disait-il en regardant la photo des petits garçons.

Entre Damas et Amman, j'appris le suicide de Mathias Schlappfer. Le film avait été un désastre. Pas seulement la ruine absolue mais la rigolade à l'échelle planétaire. Alors Mathias s'était tranquillement tiré une balle dans la bouche. Sa pauvre tête si drôle avait éclaté. Qu'allait devenir Patty ? Et le bébé d' « Azyadé » ? J'écrivis une lettre qui ne reçut pas de réponse.

J'avançais dans le livre, poussée par l'énergie du désespoir.

Ces femmes que je photographiais et qui n'avaient que leur féminité comme dénominateur commun étaient aussi des mères. Quelquefois plus souvent qu'elles ne l'auraient souhaité. Parfois avant même d'avoir vécu. Des enfants morveux, haillonneux, mal nourris me regardaient les photographier, et moi, la riche roumi de passage, j'enviais ces pauvres femmes.

Igor et moi nous étions à la fois très séparés et très ensemble. Très séparés à cause du métier. Très ensemble à cause du génie d'Igor pour créer cette vie inimitable qui m'avait éblouie dès les premiers jours de notre mariage au milieu des icebergs de la baie de la Madeleine et des pingouins du K.G.B.

Parfois il me disait :
— On lâche tout, photographe !

On partait à Nogarède et on y passait une semaine de paradis à marcher sur les vignes comme Jésus aurait dû le faire. Ou bien on restait sur la colline de Chaillot, on branchait le répondeur et on jouait à ne pas être là. Mais c'était dangereux parce que au bout de trois jours on se mettait à travailler. On finissait du reste toujours par travailler. Pendant le voyage en U.R.S.S., l'année de Belles-Fontaines, on avait dit :

« On part pour se reposer ! »

Mais comme on avait pris trois appareils chacun, on s'en était servi.

C'était irréel, le séjour à Belles-Fontaines. On couchait dans la cuisine de Vladimir. Vladimir était le conservateur du musée qu'était devenue la propriété. Il était aussi le petit-fils du dernier staroste des Tchetchevitchine. La première fois qu'il avait vu Igor, il était resté sans voix. Un groupe de touristes venait d'arriver pour visiter. Sans un mot, Vladimir les avait conduits dans le grand salon, devant le portrait du prince Alexandre avec ses décorations et l'étoile en brillants de Nicolas II. Puis il avait désigné Igor et les touristes avaient cru voir une apparition.

Depuis cette rencontre ils étaient amis. Tous les deux ou trois ans, Igor lui rendait visite. Une nuit, ils avaient dîné, seuls, une bougie entre leurs assiettes de carton, dans la salle à manger d'apparat. Dangereux. Déviation. Igor n'avait plus voulu recommencer. Il ne voulait pas compromettre Vladimir. C'était déjà hardi d'habiter chez lui. C'était merveilleux aussi. Retrouver Belles-Fontaines au-delà de la possession! Se promener dans les aquarelles de Marie Moissonnier! Chercher la septième source! Respirer l'odeur de la terre... La terre. Vladimir en avait donné un tout petit sac à Igor le jour de notre départ. Cadeau interdit. Merci, Vladimir.

La vie inimitable...

Et ce mois passé à Astipaléa à découvrir la Grèce inaccessible. C'est là que j'ai dit un jour à Igor :

« Il nous faudrait une petite maison, dans une petite île, loin de tout... »

C'était l'été, je revenais de quelque part avant de repartir pour ailleurs comme d'habitude, quand je reçus un appel au secours de Turcla.

Son père allait mal et, cette année-là, pour la première fois, il lui avait demandé de l'accompagner à Bains-les-Bains, dans les Vosges, où il faisait régulièrement sa cure depuis 1949.

– Non seulement il est insupportable, me dit-elle, mais il fait pitié.

Et voilà que, depuis deux jours, il parlait de moi sans arrêt, lui demandait de me téléphoner, de me faire venir sans tarder car il avait à me communiquer « des choses importantes qui ne peuvent être dites qu'entre quat-z-yeux » !

Je partis tout de suite et, je ne sais pourquoi, par le train.

Bains-les-Bains.

La gare est en pleine forêt. A quatre ou cinq kilomètres de la station. Elle ressemble à celle que fit construire l'arrière-grand-père d'Igor quand il voulut relier ses terres à Moscou et à la civilisation par le chemin de fer.

Je n'avais pas posé le pied sur le quai que l'odeur du bois me grisait déjà. De grands arbres couchés, morts, avec des touffes de feuilles encore vivantes et fraîches, semblaient attendre d'être ressuscités par une divinité des bois. La gare était fleurie de pétunias et de géraniums. Seul sur le quai, en livrée grise, Basin m'attendait, angoissé comme si j'arrivais du bout du monde. Il portait toujours ces leggings que j'avais tant admirés à Massabielle et, quand il me vit, je crus qu'il allait pleurer.

Je l'embrassai et, avant même d'avoir pris ma valise, il me raconta les malheurs de la Delage.

– Regardez, madame, regardez ce qu'on nous a fait! dit-il en approchant de la voiture. Hier, en pleine ville, on nous a cassé le guépard! Monsieur n'avait pas besoin de ça!

Pauvre Delage qui avait su traverser tant d'événements! Le guépard avait dû être brisé à coups de pierres. Il avait tenu bon.

Il lui manquait une patte et la moitié de la tête mais il n'avait pas quitté son poste.

Faut-il être con pour s'acharner sur un animal de verre! En m'asseyant sur les coussins isabelle, je fermai les yeux. La voiture avait toujours son odeur de paille et de camphre d'autrefois. Les cendriers d'argent, les vases bleus, le tableau de bord, tout brillait. Neuf.

– Comme vous la soignez bien, Basin!

– Madame Gabrielle, me dit-il, je suis né à Catusseau, mon grand-père y était maître cocher, étant enfant j'ai vu atteler à quatre, en 1937 monsieur le duc m'a confié cette voiture et j'ai traversé la vie avec elle, alors...

Il n'acheva pas sa phrase.

– Ça ne va pas, Basin?

Il haussa les épaules et m'assura qu'en effet ça n'allait pas, ça n'allait pas du tout.

– Monsieur est pénible, il en fait voir de toutes les couleurs à Mademoiselle. Elle n'est pas venue à la gare parce que nous évitons de le laisser seul. Il est si malheureux.

– Si malheureux? demandai-je, un peu étonnée.

– Monsieur ne s'est jamais remis de la mort de Madame. Nous pouvons le dire, Jeanne et moi, puisque c'est nous qui avons dû lui annoncer la nouvelle quand il est rentré de captivité. Il ne savait rien. C'est nous qui vivions à Salavès avec Madame pendant que les Allemands étaient là. C'est nous qui avons gardé les petits... après. Mon Dieu, quand j'y pense... je la revois ouvrant sa veste, tout ce sang! Et Monsieur, hier soir, qui me demande, au moment où je lui disais bonsoir après l'avoir aidé à se mettre au lit :

« Madame a-t-elle beaucoup souffert avant de mourir, Basin? »

Puis il se tut jusqu'au « Grand Hôtel des Bains » et je n'insistai pas.

Une sorte d' « Azyadé » des Vosges.

Un établissement construit dans l'espoir d'avoir la visite de l'impératrice, une architecture élevée autour du verre d'eau gravé d'aigles qu'elle aurait pu y boire un jour.

Si elle était venue.

Je ne vis le duc que dans le salon, au moment de passer à table.

Personne ne s'habillant plus le soir, depuis plusieurs années il avait renoncé à son vieux smoking. Alors il portait une sorte de jaquette qui rendait sa silhouette encore plus fragile, plus démodée.

Comme il ne se serait jamais permis d'embrasser une femme en public, fût-elle de ses proches, il s'inclina sur ma main avec cérémonie et je faillis lui faire ma révérence comme au temps de Massabielle.

– Je suis heureux de te voir, Gabrielle, me dit-il.

Puis il se tourna vers sa fille et lui demanda avec mauvaise humeur ce que faisait Basin.

Turcla se leva docilement et je crus voir la Sottiche d'autrefois traverser le salon au milieu des palmiers et des papyrus emprisonnés dans des céramiques Second Empire.

– J'ai éloigné Turcla pour pouvoir te dire que je veux te parler entre quat-z-yeux demain avant ma cure. C'est très important et ça ne regarde personne, poursuivit-il d'un air entendu.

Le pauvre. J'étais venue pour ça et Turcla était la dernière personne à l'ignorer.

Basin s'approchait en veste noire :

– Monsieur le duc est servi.

– Et Mademoiselle ? Où est Mademoiselle ? Jamais là quand on a besoin d'elle !

– Je suis là, papa, derrière vous. Ne vous énervez pas.

– Je m'énerve, moi ? Je m'énerve ?

Il écarta le bras qu'elle lui offrait et trottina vers la salle à manger, appuyé sur sa canne et parlant tout seul.

Dire que sa présence passait inaperçue serait léger. Les curistes ne perdaient pas une miette du succulent spectacle que leur donnait Foulques au milieu de sa suite. Il y a des hôtels où l'on s'enorgueillit d'avoir vue sur la mer ou sur les Alpes ; à Bains-les-Bains, on devait se flatter d'avoir une vue imprenable sur le dix-septième duc de Salavès-Catusseau.

Se faire servir à table, à l'hôtel, par son propre domestique, sort de l'ordinaire. Mais la parfaite courtoisie dont usait le vieux monsieur vis-à-vis des autres pensionnaires – courtoisie que j'aurais bien voulu retrouver dans ses rapports avec ses enfants – décourageait la malveillance. Il saluait tout le monde, ne se liait avec personne, traitait le directeur de l'hôtel comme si le brave homme avait été Grand d'Espagne et se découvrait devant les femmes de chambre rencontrées en ville puisque Louis XIV l'eût fait si, d'aventure, il avait pris les eaux sur les bords du Bagnerot.

– Nous t'avons préparé un petit examen, Basin et moi, dit-il avec bonne humeur en dépliant sa serviette. Il y a trois bouteilles dont tu dois deviner le cru et l'année !

– Nous allons boire trois bouteilles à nous deux ? demandai-je avec inquiétude.

– Nous boirons ce que nous pourrons! Basin, servez-nous!

C'était du blanc. Le dîner commençait par des écrevisses. Depuis combien d'années n'avais-je pas joué aux devinettes de châteaux?

Je bus.

– Ah! nous sommes sortis du Bordelais...

– Bravo! cria le duc.

– Ce n'est pas la Bourgogne...

– Bien! bien!

– C'est probablement plus bas... un châteauneuf-du-pape?

– Oui! Lequel?

Les trois ou quatre tables les plus proches retenaient leur souffle. Je dis :

– J'hésite... Nalys? Château-Fortia?...

– Tu brûles!

Il jubilait. Il avait vingt ans de moins. Ses petits yeux brillaient comme autrefois.

– Château-Rayas?

– Gagné! Et l'année?

J'éclatai de rire :

– Et puis quoi encore? L'âge du propriétaire? Le nom de son dentiste?

Il avait toujours aimé que je le secoue. Il était si heureux que je crus qu'il allait me faire goûter les deux autres bouteilles sur les écrevisses.

Un château-Lanessan et un Gloria.

J'ai fait un sans-faute!

– Je savais que tu trouverais, Nogarède! Vrai sang de vigneron! dit-il avec émotion tandis que la stupeur se peignait sur le visage de Turcla.

– Glinglin! s'écria-t-elle. Qu'est-ce que tu fais ici?

Il était bien la dernière personne qu'on pouvait s'attendre à rencontrer à Bains-les-Bains.

Il portait un costume bleu pâle et une chemise à jabot. Son camée et sa chaîne de montre queuede-rat, bien sûr, mais, par rapport à certains dîners en ville, nous restions dans la plus grande sobrié-té.

– Glinglin! Mais tu es là depuis quand?

– Je viens d'arriver, juste avant le dîner.

Et soudain, nous nous aperçûmes, au moment de le présenter, que nous ne savions pas son nom.

– Papa, bafouilla Turcla, je vous présente notre ami... euh...

– Edmond de la Gacilly, dit Glinglin en s'inclinant.

– La Gacilly? s'écria Foulques si fort que la moitié de la salle à manger fit des taches de sauce sur l'autre moitié... attendez, attendez! J'ai été à Saint-Cyr avec un la Gacilly...

– Mon oncle Charles, monsieur le duc.

– Charles! C'est ça! Fameux cavalier, votre oncle!

– Il montait encore le matin de sa mort...

– Donc, vous êtes le fils, laissez-moi trouver, ne m'interrompez pas! le fils de Jérôme!

– Absolument exact, monsieur le duc.

Nous étions muettes pour un moment.

Basin se tenait auprès de la table, un plateau de fromages sur l'avant-bras. Glinglin, pardon, la Gacilly, voyant que nous n'avions pas fini de dîner, prit congé avec un vague « à plus tard » auquel nous n'eûmes pas la force de répondre.

– Ce la Gacilly, demanda le duc en se servant de munster, que fait-il dans la vie?

– Il est couturier, papa.

Cette révélation nous valut une grimace renfrognée qui nous ravit.

– C'est lui qui a fait ma robe de mariée! précisai-je.

– Ah! oui, tu avais l'air d'un lustre!

Nous avons ri comme deux polissonnes. Il haussa les épaules et poursuivit:

– Ces la Gacilly sont de très bonne noblesse mais

ils ont toujours été gueux comme des rats. Couturier! Et il gagne sa vie, le malheureux?

– Il est milliardaire, papa, dit Turcla avec une douceur séraphique.

– Fichtre! dit le duc.

Le lendemain matin, je pris mon petit déjeuner dès l'aurore pour être sûre de ne pas faire attendre Foulques. Je m'installai dans un fauteuil au milieu du hall, un œil sur l'ascenseur, un œil sur l'escalier. Je pensais au vicomte.

Car Glinglin était vicomte.

Notre discrétion les uns vis-à-vis des autres prouvait que nous étions un groupe de marginaux. De mutants, peut-être?

Nous avions ri jusqu'à minuit tous les trois dans la chambre de Turcla.

– Pourquoi es-tu venu à Bains-les-Bains, Glinglin?

– Le nom m'a plu. Bains-les-Bains. C'est un pléonasme, non? Et puis, j'en ai assez des perles, je veux faire des robes en feuilles. J'avais besoin d'une forêt. J'ai roulé droit devant moi jusqu'à la plus jolie...

Le bruit orthopédique et poussif de l'ascenseur interrompit mes méditations. Le duc descendait. Je le cueillis à sa sortie, suivi de Basin portant le plaid et le verre dans sa vannerie.

– Nous allons marcher, me dit-il avant de congédier Basin et de lui donner rendez-vous : dans une heure, devant les Bains Romains.

Il accepta mon bras et nous fîmes quelques pas dans les allées bien peignées de ces jardins interchangeables de toutes les villes d'eau.

– Veux-tu des bonbons, Gabrielle? me demanda-t-il comme si j'avais cinq ans tandis que nous passions devant la vitrine enrubannée d'un pâtissier.

Je l'assurai que non et nous allâmes nous asseoir

auprès d'une stèle gallo-romaine représentant une dame un peu forte, le gobelet à la main.

Tout de suite, à son silence, je sentis qu'il avait un problème. Il avait peur de ce qu'il allait dire. Avec sa canne, il dessinait des signes étranges sur le sol.

Enfin il parla.

Il me demandait de prendre la responsabilité de Catusseau. L'administration. La direction. Bref de le remplacer à la tête de l'entreprise. Je le regardais avec stupeur.

– Tu penses bien que ce ne sont pas mes enfants qui pourront gérer une telle affaire! dit-il avec colère. Tu sais ce que j'ai appris, la semaine dernière! Mon fils fait les vendanges! Et tu sais où? En Chine!

Je ne savais comment refuser Catusseau sans le blesser.

– C'est une proposition magnifique...

– Ah! non, pas magnifique, Gabrielle! C'est un sauvetage! L'affaire marche très bien mais on ne s'en sort pas! Du matériel à changer, des kilomètres de toiture à refaire et, si je disparais, des droits que mes enfants ne pourront pas payer! Alors?

– Je vous remercie, monsieur le duc...

– Mais?

– Je suis photographe.

Il eut un mouvement d'humeur.

– Ah! il a eu une riche idée, mon frère, le jour où il t'a ouvert le laboratoire de grand-père! Remarque, je ne me faisais guère d'illusions. Mais je me disais : on ne sait jamais, essayons toujours, si elle en avait assez de sa photographie! Parce que, continua-t-il en tapant le gravier de sa canne, parce que je ne veux pas que nos vignes tombent entre des mains japonaises!

– Mais les Japonais du Bordelais sont...

– ... jaunes, me coupa-t-il. Ils sont jaunes!

Il se calma et déclara :

– Je vais câbler à cette business-woman qui m'a

fait des propositions. Une Américaine. Avec un nom israélite, précisa-t-il à mi-voix, comme si nous étions en pleine affaire Dreyfus.

Puis, brusquement, il se tourna vers moi :

– C'est vraiment non? avec tant d'espoir que j'aurais voulu pouvoir dire oui.

Mais c'était non. Irrévocablement.

Il me fit une sorte de salut et resta silencieux un moment. De l'autre côté du jardin public, on voyait le « Grand Hôtel » avec ses drapeaux. Énorme. Cossu. Il le désigna de sa canne.

– Tu sais qu'ils vont fermer? Oui. C'est la dernière année... quelle déroute! D'ailleurs, bientôt, la France aussi va fermer.

Des gens passèrent à qui il rendit leur salut. On s'était tout dit. J'ai cru qu'on allait se lever, partir. Non, il posa sur moi ses yeux vifs :

– Tu préférais mon frère, hein?

Je restai muette.

– Tout le monde a préféré mon frère, dit-il avec tant de tristesse que je pensai aux deux fois où la voix de Baba s'était brisée en évoquant la mère de Turcla. Et, comme s'il entendait mes pensées, il ajouta :

– Tout aurait été différent si Martine avait vécu.

J'eus la certitude que ce qu'il avait maintenant à me dire était au moins aussi important que la proposition qu'il venait de me faire. Que c'était une des raisons pour lesquelles il avait souhaité me voir.

« Monsieur ne s'est jamais remis de la mort de Madame... »

Et c'était vrai.

– J'ai manqué mes deux évasions et Martine est morte en héroïne. Elle est restée debout pendant des heures avec une balle dans la poitrine. Sauver ses enfants. Sauver la terre. Blessée, elle a trouvé la force de rentrer de Bordeaux, de faire une visite au colonel Eberhardt, de sourire pour qu'il ne soupçonne rien. Et il n'a rien soupçonné. « Colonel, je désirerais que vous me rendiez le troisième cellier, celui de la façade nord, j'en aurai besoin pour les vendanges... » Puis elle s'est fait conduire à Salavès par Basin et, là-bas, elle a fait chercher Balancel. Trop tard.

On sentait que, depuis des années, depuis son retour, il avait vécu avec cette douleur, cette perpétuelle récitation de l'agonie de Martine. Cette toute jeune femme devenait très actuelle, très présente. L'abbé avait été dénoncé. Descente de la Gestapo en pleine réunion. Martine saute par une fenêtre. C'est en essayant de traverser la cour qu'elle est touchée. Des gens de son réseau l'ont ramassée, ramenée à Catusseau dans le fond d'une camionnette.

« Pas grave, dit-elle, une égratignure! »

Elle est morte dans la nuit. Balancel a dit « péritonite ». Le colonel est venu à ses obsèques.

Le vieux monsieur eut un petit sourire triste.

– Tu sais, il y a une dizaine d'années, je vois arriver à la maison un homme de mon âge, je vois tout de suite qui il est, ancien officier, allemand, beaucoup d'allure. Il se présente : « Colonel Eberhardt. » Je l'ai emmené dans les vignes devant la stèle de Lily et je lui ai tout raconté. Il a claqué les talons et j'ai vu pleurer un colonel de la Wehrmacht...

Je crus qu'il allait pleurer aussi mais il s'était déjà repris.

– Il faudra un jour rouvrir Salavès, dit-il. Moi, je n'ai pas pu. Et je n'ai pas su élever mes enfants. Mon fils, n'en parlons pas! Quant à Turcla, qu'elle soit journaliste, passe encore! Mais qu'elle signe ses articles de ce nom ridicule : Mademoiselle Sottiche!

J'éclatai de rire :

– Vous l'avez un peu aidée, non?

– Mademoiselle Sottiche!

– Vous savez ce qu'Igor dit de votre fille? Il dit :
« Turcla, c'est un cador! »

Les petits yeux brillèrent. Il répéta :

– Un cador... et se mit à rire.

Nous nous étions levés et nous marchions vers la sortie du jardin.

– J'ai prié votre ami commun – il rit encore –, j'ai prié votre ami qui est tout sauf commun, un garçon très distingué, je l'ai prié à déjeuner. Sait-il boire?

– Il sait.

– Parfait! Allons maintenant boire de l'eau, c'est la seule façon de pouvoir apprécier de boire du vin!

Et il se découvrit car nous croisions une femme de chambre.

Le comportement de Glinglin devant son verre l'enchanta. Il avait fait préparer un grand Catusseau à qui il trouvait « un arrière-goût de gibier ».

– C'est qu'il a pris la terre, dit Glinglin en le respirant. Sous-bois, chasse, forêts...

Alors le duc, ravi, fit revenir les trois bouteilles entamées de la veille au soir :

– Car ce serait un crime de ne pas leur faire un sort!

Je crois bien que nous le leur fîmes car nous sortîmes de table, le vicomte et moi, ronds comme des queues de pelle. Il fallait bien ça pour supporter la réalité. Foulques venait de dire « ma chérie » à sa fille pour la première fois de sa vie et nous devinions que cet unique moment de tendresse avait la valeur d'un adieu.

Nous l'escortâmes à sa cure. Je le vis disparaître dans les Bains Romains, derrière les colonnettes pompéiennes rouges, vertes et blanches comme dans une grosse boîte à poudre.

Sans se retourner.

Il est mort dans la semaine qui suivit son retour à

Catusseau, dans le troisième cellier, celui de la façade nord, que Martine avait repris aux Allemands.

Nous sommes parties par le même avion, Turcla et moi. Nous étions redevenues très petites.

Le dix-huitième duc débarqua du Xinjan Urgur (Chine) le matin même des obsèques.

Jusqu'au dernier moment, on s'était demandé s'il arriverait à temps.

La Delage, avec son guépard blessé, suivait le corbillard au pas. Main dans la main, Turcla et moi nous remontions le cours de notre enfance.

Je pensais à la phrase de son père en voyant le cercueil entrer sur les épaules des employés du domaine :

« Ce n'est point à Dieu de se déranger mais à moi de me rendre chez lui. »

L'église était si pleine que des gens restèrent sur le parvis pendant toute la cérémonie. Je n'y avais plus mis les pieds depuis le temps de Massabielle. Si c'était toujours le même curé, il devait avoir cent ans.

Ce fut un tout jeune homme qui entra.

« C'est le nouveau ! c'est le nouveau ! » chuchotèrent quelques vieilles édentées.

Ça faisait une paie que je n'avais pas entendu une messe. J'étais toujours aussi cliente... puis le petit curé parla :

– Nous sommes aujourd'hui réunis pour célébrer la mémoire de notre frère Foulques, Marie, Nour ed-Din...

Nour ed-Din ?

Je regardai Turcla. Elle n'avait pas bronché.

– Je n'ai pas connu monsieur le duc de Salavès-Catusseau. Vous savez que je viens juste d'arriver

200

dans votre paroisse, mais vous ne savez pas qu'avant d'être nommé ici, je n'avais jamais vu de vigne. Je ne la connaissais que par la parole de saint Jean :

« Je suis la vigne et mon père en est le vigneron. »

« Alors j'ai pensé que c'était elle qui me mènerait à celui qui venait de nous quitter. Je suis allé poser ma main sur le blason de pierre que vous connaissez tous, j'ai médité sur le cri d'armes : « Sauve Dieu! »...

« Qui songe encore à sauver Dieu? Alors qu'Il en a tant besoin!

« Je suis parti au milieu des ceps, j'ai marché longtemps, je me suis trouvé devant des chais et un homme m'a offert un verre de vin. Je l'ai bu, face aux règes dont il était issu, et j'ai compris que l'amour de la terre montait vers le Créateur comme une prière.

« Foulques, Marie, Nour ed-Din.

« Pourquoi Nour ed-Din? Ce nom arabe est inscrit sur son acte de baptême, comme sur celui de son père, de son grand-père... depuis le temps de Dama de Lutz et des Croisades, tous les premiers-nés de cette famille se sont appelés ainsi.

« Nour ed-Din. » Savez-vous ce que cela signifie? « Lumière de la Foi. »

« Jamais, au cours de l'Histoire, les Salavès-Catusseau n'ont failli à un serment vieux de plus de huit siècles, fait à ceux que nous appelions les Infidèles et qui nous appelaient les Infidèles, preuve de notre égalité fraternelle devant Dieu. Infidèles, mes Frères, prions pour Nour ed-Din... »

Que de mains à serrer! Calleuses, dures, solides. Des mains de vignerons. Des mains qui avaient labouré, fendu le bois, fumé, vendangé. Des mains qui avaient soigné des bêtes et protégé de jeunes pousses. La tête me tournait. Je finissais par coller des étiquettes sur les visages. Les gens devenaient des bouteilles... et tout d'un coup, au milieu de ces mains de terre, une main de soie.

« Je suis Constance Didisheim », dit une voix à mon oreille.

Très bien. La business-woman américaine au nom israélite est venue.

Repas d'enterrement. On n'échappe pas aux antiques traditions de la campagne. C'est Béchaud, le restaurant du village, qui a préparé le déjeuner. Les domestiques de Catusseau ne travaillent pas aujourd'hui. Les jeunes, les nouveaux, mangent à l'office. Les autres sont assis avec nous. La grande salle à manger où j'ai eu si peur à ma première visite n'a pas changé. On a simplement sorti toutes les rallonges, les serveuses de chez Béchaud ne peuvent passer que de profil le long des dessertes.

Face à Turcla, son frère préside.

Il a la dame américaine à sa droite. Une très vieille cousine de Bordeaux qui émiette du pain sans manger ni boire à sa gauche. Et je pense que c'est la première réception à laquelle j'assiste à Catusseau. Jamais je n'ai vu personne être reçu à cette table.

Sauf moi.

Constance allait très vite rattraper le temps perdu. De véritables « séries » comme à Compiègne... Avec cette double vue que donne le chagrin, je la regardais et je sentais que quelque chose se nouait entre elle et Foulques et que c'était bien.

Qui était là ? Quelques parents, le maître de chais, le régisseur, le maire, sa serviette étalée comme un étendard sur son gros ventre. Il mange et boit solidement. C'est bon. Ça ne peut qu'être bon, Béchaud respecte trop sa pratique pour ne pas servir ce que la terre produit de meilleur aux funérailles d'un vigneron.

Karl qui vient pour la première fois, par respect,

est assis auprès de Basin. Jeanne n'a pas voulu manger. Elle pleure dans l'office en craignant que le café ne soit mauvais.

Au moment où nous allions passer à table, un garçon en blouson de nylon noir un peu déchiré et en jeans était arrivé. Personne ne l'a reconnu. C'était le curé. Je le fis asseoir près de moi.

– Je suis... lui dis-je.

– L'amie d'enfance, je sais.

– Je suis aussi une très mauvaise catholique... sinon la pire!

– Tant mieux, ça ne pourra que s'améliorer!

– Mais j'ai été très émue par ce que vous avez dit ce matin. Le verre de vin... il aurait aimé. On aurait dû tous boire à l'église!

– Ça s'appelle la communion, dit-il en souriant.

– Et puis j'ai reçu un grand coup avec « Nour ed-Din ». Je croyais tout savoir de la famille et j'ignorais ce vœu!

– Moi aussi j'ai été bouleversé en faisant cette découverte. Tant de fidélité dans le silence... et, brusquement, ce prénom qui éclate. Avec sa signification : Lumière de la Foi. Comme si c'était maintenant l'heure de se souvenir de l'essentiel...

Il but un peu de vin et me dit :

– Je n'y connais rien mais je crois que c'est fameux?

– C'est le mot.

– Vous buvez ça depuis l'enfance et vous ne croyez pas en Dieu! s'exclama-t-il en levant son verre.

Au même moment, à l'autre bout de la table, Constance faisait le même geste que lui, ce geste qu'elle a maintenant à la fin de chaque dîner pour faire célébrer par ses convives le vin qui est devenu le sien.

Brusquement, au cœur de la peine, j'étais bien. Et, devant le spectacle insolite de tant de gens disparates réunis en ce lieu aux miroirs voilés, aux pendules arrêtées, devant ce repas rude et beau, à mon tour, je levai mon verre.

A la terre. A ce pays. Aux Infidèles.

Ne tremble pas, vieux vigneron, elle ne va pas encore fermer tout de suite, la France.

Je n'étais jamais allée à Beyrouth. Aussi ai-je dit oui tout de suite quand Maxou me proposa d'y partir une semaine avec lui et un groupe de photographes.

Je n'y ai pas passé une nuit.

Dès la sortie de l'aéroport, on sentait que c'était la guerre. L'horreur, elle, était programmée pour un peu plus tard.

Un ami libanais de Maxou nous avait pris à la sortie de l'avion pour nous amener à une école. Il disait :

– Les enfants sont extraordinaires. C'est à eux qu'on devrait donner le pouvoir. Eux sauraient nous conduire à la paix.

Des ruines, de la beauté, la mer miraculeuse, la transparence de l'air. Et quelques coups de feu isolés. A peine plus de bruit qu'autour d'un cerisier équipé contre les moineaux.

Une école. Comme toutes les écoles. La récréation avec des cris de joie, des rires, des bousculades... puis ils nous ont vus. Ils se sont jetés sur Maxou. Ils l'avaient reconnu. Il était déjà venu trois fois.

– C'est mon copain de Paris! disait un petit garçon en tablier à carreaux en s'accrochant à lui.

Ils me regardaient, tournaient brusquement la tête, rougissaient, souriaient. Ça les étonnait de voir une femme habillée en mec, avec tous ces appareils en bandoulière.

L'un d'eux se décida :

– C'est ta femme?

– Non, c'est la femme de mon ami.

– Pourquoi elle est pas avec ses enfants?

– Parce qu'elle est photographe! répondit hâtivement Maxou.

Une fillette aux yeux splendides me prit la main, un tout petit s'accroupit et caressa mes bottes. On a tous ri. J'étais adoptée.

En les photographiant, Maxou les faisait parler. Je remarquai qu'un mot revenait sans cesse dans leurs discours :

« Avant ».

Nous sommes allés nous asseoir au fond de la cour sous un eucalyptus pour souffler un peu. Et nous les avons écoutés.

– Il y a des enfants plus malheureux que nous, disait un grand.

Huit ans.

– Mais les enfants qui ne connaissent pas la guerre sont quand même plus heureux, dit la fillette aux yeux splendides.

– C'est sûr, approuva le copain de Maxou. J'ai pensé ça pendant la bataille de l'été.

Il évoquait « la bataille de l'été » comme s'il s'était agi d'une course en sacs remontant aux dernières vacances.

Puis il réfléchit et dit :

– On voudrait que les grandes personnes s'aiment. Si je deviens une grande personne, si je meurs pas avant, moi j'apprendrai aux gens à s'aimer.

– Si je meurs pas avant? Qu'est-ce que c'est que cette niaiserie? bégaya Maxou.

Son copain le regarda gravement et dit :

– Je pense que je vivrai encore au moins quatre ou cinq ans...

Autour de nous, les enfants approuvaient, calculaient, évaluaient leurs chances de vie.

– Ou alors, je vivrai 100 ans! 1000 ans! 10 000 ans!

La cloche sonna en pleine rigolade. Ils rentrèrent en classe, nous nous en allâmes. L'ami libanais était reparti, nous devions le retrouver tout près de l'école, chez lui, pour déjeuner.

Quartier tranquille. Défoncé mais tranquille. Deux petites filles, à peine plus âgées que les enfants que nous venions de quitter, marchaient devant nous, portant un panier rempli de légumes. La plus petite tirait parfois les tresses de la plus grande qui riait et essayait de la chatouiller.

Et soudain l'horreur fut sur nous.

Je ne sais comment ni d'où vint l'horreur. Mais elle était là. Les deux gamines se mirent à hurler et à courir sans lâcher leur panier de légumes. Je vis s'écrouler un pan de mur, le feu jaillir du sol, je me précipitai vers les petites quand Maxou me plaqua au sol. Ma joue droite se déchira contre ce qui restait du trottoir. Maxou me couvrait de son corps tandis que des choses tombaient autour de nous et sur nous. Grand vacarme du monde éclaté auquel succède le silence que, peu à peu, vont remplir à nouveau les bruits de la vie.

Mais les deux petites filles sont mortes. Elles sont couchées sur un linceul de sang parsemé de jolis légumes.

Maxou me relève, me tient. Je tremble. Je ne peux pas parler. Il me tape sur la joue. Doucement d'abord. Puis très fort. Ma joue intacte, bien sûr. Des gens arrivent, crient, pleurent, sirènes... je me souviens qu'à quatre pattes dans une camionnette j'ai vomi sous moi comme un chien. A l'aéroport, Maxou m'a lavée dans les toilettes. Un avion allait partir pour Paris, il m'a confiée à l'hôtesse. « Veillez sur elle, je crois qu'elle a le bras cassé. C'est ma faute. »

Ça, je m'en souviens.

« C'est ma faute »! Et tu venais de me sauver la vie, Maxou.

L'hôtesse a été très gentille.

Elle avait des yeux splendides.
Comme les petites filles du Liban.

J'avais effectivement le bras cassé mais ce n'était rien. La blessure à la joue non plus et, un mois plus tard, déplâtrée, je pouvais à nouveau travailler. Plus exactement, j'aurais pu travailler si les quelques heures passées à Beyrouth n'avaient pas laissé en moi des cicatrices bien plus profondes que celles des blessures apparentes.

Je n'arrêtais pas de dire à Igor que les petites filles étaient mortes à cause de moi. J'aurais dû les sauver, inventer quelque chose. Incapable de préserver la vie, j'étais indigne de la donner. Je n'avais plus envie de rien. Je me sentais incapable de partir en reportage, et le seul mot qui me venait à la bouche était : stérile.

– Cesse de te torturer, Gabrielle, me dit Igor. Oublie ta hantise de maternité et laisse faire la nature puisque tu ne veux pas entendre parler de Dieu. Tu penses trop à l'enfant que tu veux avoir pour qu'il ose se montrer. Tu lui fais peur ! Patience, à son heure il viendra vers toi.

Il avait annulé deux voyages et ne m'avait pas quittée pendant ma convalescence. Je n'étais pas très amusante mais jamais il ne me le reprocha. Je n'en dirai pas autant de ma conscience. Il fallait vraiment que quelque chose arrive.

Et quelque chose arriva.

Quelques mois après la mort de son père, Foulques avait épousé Constance.

Constance était veuve d'un monsieur Didisheim, fort riche, qui lui avait laissé une fortune démesurée, et fille d'un monsieur O'Hara, fort irlandais, qui lui avait laissé un goût encore plus démesuré pour le travail.

Depuis vingt-cinq ans elle avait lancé, en Californie, un cabernet appréciable et apprécié, et, assistée de deux rouquines, ses filles, elle s'adonnait à l'étude du vin comme à celle d'une science exacte. Sarah et Rebecca, créatures timides et charmantes, étaient priées de briller, le soir, aux « séries » de leur mère, tout en abattant chacune dans la journée, sur le domaine, une besogne que trois valets de ferme auraient eu du mal à accomplir sous le fouet.

Le contrat de mariage paya les droits de succession et j'en fus soulagée comme si Catusseau avait été ma maison.

La première fois que Turcla vit sa belle-sœur présider un dîner avec le diadème des duchesses sur la tête, elle se crut au cinéma. Quand elle découvrit « Sauve Dieu ! » en relief sur les pains de beurre de la ferme et les savons d'invités, elle me dit :

« Nous devenons un château-hôtel. »

Il y avait de ça. Des milliardaires texans venaient passer quelques jours à Catusseau et ils voulaient en avoir pour leur argent, pardon, ils voulaient en avoir pour l'argent de Constance, et le fait de la voir porter des bijoux historiques les emplissait de majesté.

Le duc et la duchesse semblaient fort épris. La terre les avait liés l'un à l'autre comme deux épis et quand, la voix chavirée, ils se parlaient de muscadelle, de sauvignon, de merlot, de sémillon, d'alicante ou de verdotpetit, on croyait les entendre échanger des mots d'amour et on se sentait indiscret.

Ils étaient partis faire un saut dans leurs vignes de Californie quand nous reçûmes une invitation émanant de Turcla. A l'encre d'or, sur des cartons Belle Époque trouvés dans le grenier d'un imprimeur, elle nous conviait à la :

Réouverture solennelle de Salavès

Sois belle ! Soyez beaux !

Nous serons cinq !

Pas besoin de chercher qui seraient les cinq.

Ainsi, elle venait de réaliser le vœu de son père. Rouvrir Salavès. Pour la première fois depuis Beyrouth j'avais envie de quelque chose. Invitée permanente de Catusseau, je n'avais jamais franchi le seuil de Salavès. Je ne savais même pas s'il y avait des meubles dedans. Il me semblait que sa mère elle-même nous conviait.

Nous nous sommes préparés pour cette soirée avec plus de soin que si le doge nous avait priés à un bal sur le parvis de Saint-Marc. « Je vais te faire une robe à rendre gagas Hippolyte Tubœuf et Viollet-le-Duc ! » me promit le vicomte ; il tint parole et me pondit un délire gothique flamboyant que Dama de Lutz en personne aurait hésité à porter.

Cinq minutes avant l'heure inscrite à l'encre d'or sur le carton d'invitation, nous roulions doucement vers Salavès illuminé.

La porte était ouverte et cela me bouleversa. Mais l'apparition de Turcla dans l'arc en ogive lancéolé de la porte me bouleversa plus encore. Elle portait une longue robe de satin blanc que je ne lui connaissais pas.

– Ce n'est pas possible, cria Glinglin, tu me trompes? Toi?

Elle ne répondit pas, sourit, mit un doigt sur ses lèvres et, nous précédant dans le salon, alla se placer sous un portrait de sa mère dans la même robe.

– C'est Lanvin! C'est une robe de Lanvin!

Glinglin était tellement enthousiasmé que je crus qu'il allait se jeter sur elle et la déshabiller sous nos yeux pour vérifier la griffe.

Au bas du tableau – merveilleux de convention –, il y avait une date : 1938.

Martine souriait, charmante. Une Turcla plus malicieuse et plus jeune.

Plus jeune? Mais oui. Sur le corps de la mère, sur le corps de la fille, les âges semblaient s'être renversés, et la même robe triomphait, mate, lisse ou luisante selon les biais du satin; ce travail de découpe que personne ne semble plus savoir faire et qui donne l'illusion de deux tissus alors qu'il n'y en a qu'un seul.

Au pied du tableau, dans un céladon, une gerbe de lys.

Je savais bien que Lily nous accueillerait et je ne fus pas surprise quand Turcla, appuyant sur une acanthe de la boiserie, fit s'effacer un pan de mur, découvrant les marches d'un escalier dont la bouche sombre exhalait vers nous une haleine de caveau.

– Gardez vos manteaux, dit-elle en couvrant ses épaules et son dos nus d'une longue cape, tandis que Basin nous distribuait des lampes à acétylène semblables à celles qui nous avaient permis de découvrir le laboratoire à la fin de la scarlatine.

Descente silencieuse qui nous mène dans un long couloir tapissé de ces « vieilles mal peignées en robe de fils d'araignée », ainsi que Marie Noël désigna si joliment les bouteilles dans un poème.

Odeur religieuse du vin endormi dans la terre.

Là encore une machinerie nous attendait. Au premier tournant du souterrain, sur la droite, Turcla posa sa lanterne et promena sa main sur le mur. Un déclic. Et le mur glissa sur lui-même, lentement, avec un bruit rouillé.

Une petite pièce soudain brillante de lumière à cause de nos lanternes. Un lit de camp, une table, une chaise. Et, sur la table, un poste émetteur-récepteur.

— Je voulais vous emmener d'abord chez maman, dit Turcla en posant sa main sur le poste comme pour une caresse.

— J'aurais voulu la connaître plus longtemps, poursuivit-elle avec une pudique émotion, mais depuis que j'ai rouvert Salavès, je la sens toujours avec moi.

Le premier jour avait été terrible, elle avait eu l'impression de profaner une tombe. Mais très vite, elle avait compris que la maison était bienveillante, qu'elle la remerciait de venir à elle, qu'elle l'attendait.

Nous avions quitté le réduit de guerre, nous marchions de nouveau au milieu des bouteilles de Sauternes, en silence, comme on nous l'avait appris quand nous étions petits. Et aussi parce que nous pensions à celle qui avait été « victime des Allemands pendant les derniers jours de l'Occupation ».

La lumière dansait au bout de nos bras. Nous étions un peu désorientés. Fin du souterrain, ascension de quelques marches, découverte d'une porte que Turcla ouvre avec une toute petite clef...

Nous sommes en pleine forêt.

Le château était tout près mais je crois bien que,

seuls, nous ne l'aurions pas trouvé avant le jour.

Basin nous attendait sur le seuil et nous pénétrâmes pour la seconde fois dans le chef-d'œuvre de Turcla.

Il y a tant de choses à découvrir à Salavès qu'une première visite rend fou.

– T'as dû amortir l' « œil de vieux » et la « loupe à l'œil »! disait Glinglin à genoux devant un appui-pied tissé de perles et frangé de soie.

Nous courions des poufs capitonnés aux causeuses brodées au petit point, des carreaux de velours frappé aux prie-Dieu de tapisserie, nous levions les yeux vers les lambrequins et les cantonnières, vers les doubles rideaux aux passementeries démentes : cartisanes, lézardes, girolines et giselles!

Que dire de la salle à manger?

Une centaine d'assiettes de la Compagnie des Indes étaient accrochées aux murs.

Mais, vite, nous oubliâmes les assiettes suspendues pour les assiettes posées devant nous. Et surtout pour ce qui était dedans : une lamproie au Sauternes, œuvre de Jeanne.

– C'est Basin qui a choisi les vins, annonça Turcla.

– J'ai beaucoup pensé à Madame Gabrielle, qui aime tant boire! dit-il avec émotion, étonné que cela nous fasse rire aux éclats.

La soirée était bien partie. Nous aussi. Même Turcla, par sympathie. Jean et moi, nourris dans le sérail, nous tenions encore le coup, mais le vicomte avait la larme à l'œil et Igor parlait russe depuis un moment.

– Et le curé, demanda-t-il en retrouvant brusquement l'usage de la langue française, le petit curé dont ma femme est amoureuse? Tu aurais dû l'inviter!

Les yeux de Turcla se mirent à briller comme ceux de son père.

– Viré! dit-elle. Le petit curé n'a pas plu en haut

lieu! Il portait des baskets et il aimait son prochain. On l'a baladé d'une paroisse à l'autre jusqu'au jour où il a demandé l'autorisation de partir au Liban.

Nous étions tous dégrisés. Elle continua :

– Quant à l'évêque, il a eu sa lettre de château en plein dans la mitre! Et il peut se brosser le camail avant que j'aille lui baiser l'anneau!

Elle était merveilleuse, ma douce, comme un pétale, quand elle se déchaînait. Je comprenais tout ce qu'avait dû représenter pour elle le départ de ce petit prêtre et je partageais son chagrin.

– Il faut quand même que les évêques sachent qu'il y a encore des chrétiens, dit-elle en regardant Igor.

Il lui prit la main. Lui aussi était triste.

– Tu dis qu'il est au Liban?

– Oui.

– Trouve-moi son adresse et j'irai le voir.

– Merci! Oh! merci! dit-elle exactement avec la même intonation que le jour de notre première rencontre dans le hideux parloir.

– Il faut avouer que la gestion du sacré est lamentable, poursuivit Igor. Après ça, étonnons-nous une fois de plus que le Marché commun soit devenu terre de mission! En tout cas, je désire encore plus le connaître, ce garçon qui a failli convertir Gabrielle!

Je fis : « Oh! Oh! » parce que, quand même, entre la sympathie et le Credo il y a une marge, mais je ne pus pas exprimer cette nuance, Basin entrait avec un salmis de palombes à faire oublier le Saint-Esprit à Bernadette Soubirous elle-même et la conversation retomba sur terre. Très exactement sur Constance et le lustre somptueux qu'elle était en train de donner à Catusseau.

– Nous attendons six chevaux de selle, dix vaches frisonnes pour fumer nos terres, deux douzaines de draps brodés de la couronne et du blason pour langer nos invités, et je m'étonne de n'avoir point encore vu nos armoiries frappées sur le papier des vécés, dit Turcla, très rocaille et vieille France. Heureusement, Constance est délicieuse! Je n'en dirai pas autant de ses invités qui regardent les employés du domaine comme s'ils étaient encore nos gens et doivent leur dire : « Holà, mon brave! » quand ils les rencontrent dans les vignes. Je crains qu'ils ne pensent que nous avons encore droit de haute et basse justice sur eux...

– Angoisse parfaitement justifiée, dit Igor. En 1907, la direction du « Ritz » a eu un mal fou à faire comprendre aux grands-ducs qu'en France on ne battait pas les domestiques.

Basin éclata de rire si joyeusement qu'il nous entraîna à sa suite. Je crois qu'il avait très scrupuleusement goûté les vins qu'il avait choisis et préparés. Je crois aussi qu'il était heureux de voir tant de cauchemars effacés par cette lumineuse soirée.

Il tangua un peu en traversant le salon avec le plateau du café, puis se retira.

– La soirée n'est pas finie, dit Turcla en se dirigeant vers un secrétaire noir, incrusté de nacre, d'or et de fleurs vives.

Elle y prit une grande enveloppe et alla s'asseoir au coin de la cheminée. Pendant quelques minutes elle tria des papiers qu'elle avait sortis et posés sur ses genoux, semblant chercher quelque chose de précis.

– Ah! dit-elle, je l'ai trouvé!

Puis elle nous regarda et dit :

– Je voudrais vous lire un passage du testament de papa.

C'est ainsi que j'entendis les mots qui devaient changer ma vie :

– Je lègue à Gabrielle Nogarède le matériel de photographe de mon grand-père.

Foulques m'avait laissé tout ce qui m'avait détachée de son univers. Tout ce qui m'avait enlevée à la seule chose qui comptait à ses yeux : la vigne.

J'entrai dans son legs comme on entre en religion.

Félix Tournachon, dit Nadar, artiste, photographe, aéronaute et littérateur, n'était pas mon cousin !

Ces appareils que je n'avais jamais osé manipuler, voilà qu'ils étaient à moi !

Je nettoyais, je réparais, je fis fabriquer des pièces perdues. Je devins une spécialiste du papier albuminé, une virtuose du papier platiné, une championne du papier argentique. Je m'initiai à la manipulation de la gomme bichromatée, me plongeai dans des précis de chimie, dans « La Photographie en Deux Volumes » du Manuel Roret.

Tout ce qui se trouvait dans la « chambre orientale » (c'est ainsi que s'exprimait le testament) et le laboratoire était à moi. Les meubles, les tapis, les bibelots, les souvenirs, les archives, les épreuves, les documents, les livres, les collections et, bien sûr, le matériel. Tout était inscrit comme si le duc avait eu peur d'oublier le détail infime et essentiel qui risquait d'empêcher le manège de tourner.

Le petit lit de Savorgnan de Brazza...

Les tesbih d'ambre et de nacre...

Le Coran avec son signet vert marquant la sourate de la lumière...

A tout cela, il avait joint un autre présent. En forme d'alliance. En espérant que Gabrielle accepterait « l'anneau des Salavès-Catusseau que feu mon frère le marquis porta toute sa vie ».

Turcla me l'a passé au doigt, la nuit de Salavès. Je le regarde, je le porte toujours.

J'avais apporté à Paris un appareil à plaques, je le fis équiper pour recevoir des plans-films et je me mis à photographier des écrivains comme si nous vivions cent ans plus tôt.

La littérature entra dans ma chambre comme un

seul homme, la tête à l'envers, le cœur à droite. « Attention, le petit oiseau va sortir ! » me dit un académicien la première fois que je me cachai sous le drap noir...

Le petit oiseau sortit et dépassa mes espérances !

Mes écrivains se trouvèrent tous une ressemblance avec Balzac et déclarèrent que j'avais du génie.

Parfois, à Catusseau, Igor et moi nous passions des semaines entières à faire joujou dans le laboratoire. Sans aller jusqu'à utiliser le bitume de Judée de Daguerre, nous pataugions dans la gélatine à cristaux d'argent et, vêtus de longues blouses antiques, comme en portaient les primitifs de l'âge d'or, nous torturions Sarah et Rebecca en leur faisant tenir la pose cinq minutes sans bouger, la tête immobilisée par des tringles. Puis vite, vite ! dans la sombre lumière rouge nous lavions les plaques et, le soir même, diadème en tête, Constance nous offrait en pâture à ses hôtes en étalant nos productions du jour.

Impossible d'esquiver les « séries » quand on travaillait à Catusseau. Ce n'était d'ailleurs pas triste, le monde entier y défilait. Des Japonais, des Anglais, des Chinois, des Américains – bien sûr – et même des gens de Bordeaux où je ne connaissais personne.

Je ne voyageais presque plus. Je voyais davantage Igor que du temps où je courais moi aussi d'un pays à l'autre. Je ne quittais Paris que quand il s'absentait. Il disait alors que nous nous rendions chacun dans notre résidence secondaire.

La mienne, c'était Catusseau où tout était calme.

La sienne, c'était le Proche-Orient où tout était violence.

Turcla avait trouvé l'adresse du petit curé au Liban et Igor était allé le voir.

– Alors ? avais-je demandé.

– Le coup de foudre. Et ce qui m'a ravi et qui, une

fois de plus, prouve l'existence de Dieu : il est heureux !

– Heureux ?

– Oui, il se sent utile. Et puis, si tu le voyais au milieu des enfants du village détruit qu'il a entrepris de reconstruire, si tu les entendais crier : « Pierrot ! »

– Parce qu'ils ne l'appellent pas monsieur le curé ?

– Mais tu es toujours en plein XIXᵉ siècle ! En plein deuil de Louis XVI ! Elles t'ont vraiment marquée, les bonnes sœurs ! Là-bas, c'est la vie ! Parce que en une fraction de seconde on peut la perdre. Et puis les enfants sont merveilleux. Il avait raison, cet homme qui vous avait dit, à Maxou et à toi, qu'eux seuls pouvaient conduire à la paix... Comment veux-tu qu'il ne soit pas heureux, Pierrot, avec le regard des enfants posé sur lui !

Oui. Et pour qu'Igor soit, lui aussi, parfaitement heureux, il ne manquait qu'une chose. Le regard d'un enfant.

Mon désir d'être mère était en train de devenir un désir d'adoption. J'avais renoncé à la sorcellerie médicale et je ne me voyais pas débarquant à Lourdes pour solliciter un miracle avec une carte prioritaire en tant qu'ancienne élève du cours Massabielle. Je me préparais doucement à aimer un petit être qui ne serait pas né de nous.

C'était dur.

Le temps passait. Parfois je pensais à Perle avec mélancolie. Sa série australienne n'était pas venue en France mais j'avais lu beaucoup de bien d'elle dans des revues anglaises et américaines. Elle semblait réussir. Son nom était souvent cité. Elle avait des photos ravissantes un peu partout. Puis – brusquement – elle disparut des magazines aussi naturellement qu'elle y était entrée.

Nous ne parlions jamais d'elle.

Si, une fois nous en avions parlé, l'été de Belles-

Fontaines, dans la forêt, quand Igor m'avait raconté ses angoisses d' « Azyadé », ses coups de fil à Labib Chakkour... Ce fut la seule fois et, à dire vrai, nous avions, ce jour-là, surtout parlé de nous.

Perle semblait avoir fondu dans le vinaigre de la vie mais j'avais gardé dans mon portefeuille une photo de nous deux prise par les nains sur la plage d' « Azyadé » et je n'avais pas oublié sa phrase inachevée du « George-V » : « Je suis sûre qu'un jour... »

« On lâche tout, photographe! »

Il y avait longtemps que je n'avais pas entendu la formule magique.

Igor la prononça à la veille d'un voyage éclair – deux, trois jours – qu'il devait faire quelque part en Afrique.

J'ai cru qu'il m'emmenait avec lui.

– Surtout pas, dit-il en riant, je vais dans un très triste endroit voir de très vilaines gens et ce n'est pas là que j'ai l'intention de t'emmener. J'y vais histoire de secouer le cocotier pour en faire tomber les combines et les pots-de-vin avec fracas. Des millions récoltés pour nourrir une population qui meurt de faim ont disparu là-bas comme par enchantement. Il y a des petites vieilles, à Limoges, à Courbevoie, à Brest, qui se privent parce qu'elles ne supportent pas de voir mourir des enfants sous leurs yeux, en direct, à la télé. Alors elles envoient leurs sous. Et, là-bas, il y a des affreux qui ramassent les pauvres petits sous quand ils ont fait de grandes rivières et qui ouvrent des comptes numérotés, en Suisse.

– Qui sont les affreux?

– Des Blancs et des Noirs. Seulement, les Noirs, on n'ose pas le dire. Tu vois, c'est ça, les effets secondaires du racisme : pendant des siècles, les Blancs torturent, méprisent, tuent les Noirs. Puis on crie : Stop! Et on décrète que tous les Noirs sont parfaits. Donc, qu'ils sont Blancs! On efface une connerie par une autre connerie. On canonise après avoir canonné. Et les mômes continuent à crever...

– Que vas-tu faire?

– Parler!

Puis il se mit à rire et me dit :

– Allez, laissons les affreux. Pensons à nous. Dès mon retour, dès que je rentre, on part! Tu peux faire les valises!

– On va où?

– Surprise!

– Passe-montagne ou collier de fleurs?

– Ni l'un ni l'autre!

– Tu ne veux pas me dire?

– Non!

Il était rayonnant de joie comme quelqu'un qui a appris une bonne nouvelle avant tout le monde et qui veut encore la garder un petit moment pour lui tout seul avant d'emboucher les trompettes d'Aïda.

– Mais qu'est-ce que je mets dans les valises?

– Des chemises en coton, des chandails, des jeans, des maillots, des draps de bains, des chaussures de marche, des chapeaux de paille, des lunettes noires, des gandouras, des djellabas! Et du vin!

– Je peux deviner?

– Non!

Il riait. Moi, je cherchais...

– Tu ne peux pas trouver, jubilait-il, impossible! Il me prit les mains dans les siennes et ajouta : Tu n'as pas idée de la merveilleuse surprise qui t'attend!

– Et c'est pour quand?

– Mais dès que je rentre! Dans quatre-cinq jours à tout casser! On boucle les valises et on part.

– Longtemps?

– Probablement.

La nuit était très claire, de Monsieur notre lit on voyait Paris, illuminé et endormi.

220

J'ai failli lui parler de mon idée d'adopter un enfant, je lui demandai :

– Et si je te disais une surprise que j'ai envie de te faire de mon côté, tu me dirais la tienne?

– Rien avant mon retour!

– Tu jures qu'à ton retour on se dira tout?

– Tout!

Alors on s'est dit je t'aime et on se l'est prouvé en reconnaissant que ce n'était guère raisonnable avec le taxi qui venait le chercher à 5 h 30 mais c'était si doux, que voulez-vous...

Il se pencha sur moi avant de quitter la maison – « ne te lève pas, dors » – et déposa un baiser au coin de ma bouche :

– A bientôt, Esprit Fidèle!

Il s'en alla, mon amour, et notre vie se brisa le lendemain sur une phrase de treize mots :

« Mort accidentelle du photographe Igor Martin au cours d'un reportage en Afrique. »

Je lisais mon désespoir sur les visages qui m'entouraient à Roissy. Tous les bien-aimés étaient là, serrés autour de moi, défigurés par la douleur. Comme il allait leur manquer... Un jeune homme du Quai d'Orsay me présentait les condoléances du ministre en s'essuyant le front, ennuyé, et je me disais : « Qu'est-ce qu'il fait, celui-là? Qui c'est ça? Quel ministre? De quoi il parle? »

Je partais avec un vol régulier, je reviendrais avec un avion spécial. Quand j'avais dit que je voulais aller le chercher, on m'avait répondu que c'était impossible. J'avais hurlé. Je voulais le ramener, un point c'est tout. Jean avait tout arrangé en quelques heures. Je partais.

Je crois que j'ai dormi pendant le vol.

Le souffle chaud de l'Afrique me fit chanceler à ma sortie de l'avion. Mes talons s'enfonçaient dans un goudron mou. J'attendis longtemps à la douane derrière un orchestre en difficulté. Guitares, tambours, maracas, tout cela semblait poser des problèmes insolubles aux douaniers. Que de cris! J'attendais, l'âme errante. J'étais comme sortie de mon corps. J'aurais pu attendre jusqu'à ce que je tombe en poussière, mais un personnage de cirque, un grand Noir vêtu de blanc et de galons dorés, grade de colonel et sourire en émail vitrifié, me prit en charge. Après avoir insulté les douaniers, il me poussa vers un salon d'attente. Sur des tréteaux, un cercueil. Fermé. Déjà fermé. Bien sûr, avec cette chaleur. Le climatiseur faisait un bruit dérisoire. Igor était rangé dans cette grande boîte. J'avais très chaud. Ou très froid. J'avais besoin d'aide. Et l'aide est arrivée. Perle a été soudain près de moi, les yeux brûlés de larmes, sortant je ne sais d'où, habillée comme à la guerre. Je ne me suis pas étonnée. Serons-nous étonnés, le jour où nous rencontrerons ceux que nous avons aimés dans la vallée de Josaphat?

Elle était arrivée dans la nuit, juste avant la fermeture du cercueil.

Je ne lui ai pas demandé comment était Igor. Elle ne m'a pas dit qu'il était beau, intact, serein, paisible comme on dit toujours pour consoler la famille. Elle m'a simplement dit que c'était lui. Qu'elle avait cherché la croix de métropolite pour me la donner mais qu'elle avait disparu. Trop d'or... par contre, elle avait pu reprendre l'alliance.

Elle est là, au creux de la main de Perle, cercle d'or qui clôt mon destin. Je la prends, je la regarde.

« Gabrielle, à Igor » disent les caractères cyrilliques. J'ai enlevé la mienne. « Igor, à Gabrielle ». J'ai glissé la grande alliance à mon doigt et je l'ai bloquée avec la plus petite.

Perle sanglotait et nos larmes se mêlaient. Je ne trouvais rien à dire. D'ailleurs tout se passa très vite. Aussi paradoxalement vite que l'attente à la douane avait été paradoxalement longue. Des employés jacassants vinrent chercher le cercueil et l'embarquèrent sur le petit train des valises. Nous le vîmes aller vers l'avion au rythme cahotant – comique – du petit train avant de disparaître dans la soute à bagages. Perle tenait dans la sienne ma main aux deux alliances. Le personnage galonné est revenu. Il lui a dit :

« Madame, il est temps! » avec un grand sourire émaillé. Elle m'a embrassée. Puis elle est partie.

Je l'ai vue marcher, toute droite, au milieu de soldats en costume léopard vers un avion blanc et vert.

Comme une illettrée qui reçoit des nouvelles, je voyais tout mais je ne lisais rien. Puis le personnage galonné m'a escortée jusqu'à mon avion en me donnant des papiers que je ne regardais pas, une photo de l'accident, la voiture au fond du ravin, trente mètres... Il avait l'air heureux de me voir partir. Si heureux qu'il m'a souhaité bon voyage.

Les fleurs jaunes et mauves du jardin de la petite église de la rue de Crimée nous accueillirent comme le jour de notre mariage. Je ne savais toujours pas leur nom, je ne le saurai jamais.

Puis nous sommes partis pour Nogarède.

De nouveau les bien-aimés se pressèrent autour de moi, ils portaient dans leurs cœurs le souvenir des déjeuners ensoleillés, des promenades, des éclats de rire, des Noëls illuminés dans le bruit des papiers déchirés et l'odeur de la joie, toute la vie partagée qu'on ne partagerait plus. Pendant qu'on descendait Igor auprès de mon père et de ma mère, ils pleuraient. Pas moi. Sur le dessus du cercueil j'avais répandu le cadeau de Vladimir et la terre de Belles-Fontaines s'est mêlée à ma terre à moi.

L'oméga

« Voyage très dur. Mer mauvaise. »

Peut-on imaginer relation plus sèche que celle du cahier que je viens de trouver dans un tiroir de ma table?

J'essayais de mettre la main sur un agenda ou un calendrier indiquant s'il y avait un décalage horaire entre Londres et la Grèce et je suis tombée sur le journal de mon arrivée à Phos.

« Découvert l'île. Et la maison. »

Cette sécheresse n'est qu'apparente. Venir vers Phos après un interminable voyage sur une mer démontée, apercevoir les terrasses blanches à travers les embruns, c'était aussi impossible à exprimer que ce que j'avais dans le cœur.

« Tout le village. »

C'est vrai. Ils étaient tous sur le quai. Dix-neuf personnes. Igor avait eu le temps de se faire aimer et de m'annoncer quand il était venu voir, puis acheter, la maison. Tout ça parce qu'un jour, à Astipaléa, j'avais dit : « Il nous faudrait une petite maison, dans une petite île, loin de tout... »

Il n'a fait que deux brefs séjours à Phos mais ils l'ont adopté pour toujours. Et, debout sous la pluie sur le petit port, ils se préparent à adopter celle qui arrive : η χῆρα, « la veuve ».

Théodora s'est détachée du groupe, elle est venue vers moi et elle m'a donné un rude baiser. Puis j'ai serré des mains. Les marins passaient mes bagages, mes sacs, mes ballots et la bonbonne de vin que Turcla avait voulu que j'emporte à tout prix. Chacun comptait, se trompait, recommençait. Vacarme. Est-ce que tout était là? On m'a fait voir un chiffre avec les doigts : 9? C'est ça?

C'était ça.

Le capitaine a donné le courrier. Une lettre. Et le bateau est parti vers d'autres îles, encore plus lointaines, laissant des cartons d'épicerie, des casiers de bouteilles et des sacs de grains protégés par une bâche.

Puis, m'abritant sous l'un des deux parapluies du village, en procession, les habitants sont montés avec moi jusqu'à la maison. On avait chargé l'âne qui patinait sur les pierres mouillées du chemin bordé d'arbres de Judée et de figuiers. Tête basse, ses longs cils semblaient dégoutter de larmes de compassion, pauvre petit âne qui est mort l'hiver dernier.

Soudain un arc-en-ciel. La pluie s'arrête, la procession aussi. Des cris de joie s'élèvent vers le beau temps revenu tandis que Théodora sort de son tablier une clef géante et me la tend. Quelques marches encore et on y est. Pour la première fois j'ouvre la porte de la maison. J'entre. Et tout le village entre à ma suite.

Quel choc en découvrant l'horloge sans aiguilles. Le temps arrêté.

Aux pieds de l'horloge d'Alep, les cadeaux, les offrandes de ces pauvres gens. Les objets qui permettent de vivre à quelqu'un qui n'a rien.

Et je ne savais même pas comment on disait merci en grec.

Le petit âne, immobile sur la terrasse, une patte gracieusement repliée, avait toujours son chargement. Je suis allée chercher sur son dos la bonbonne de Turcla. Comme tu avais eu raison d'insister, ma Sottiche, toi qui ne bois jamais de vin!

Les Grecs me regardaient en silence. Ils avaient compris. Ils m'ont aidée à déboucher la bonbonne. On me passa l'unique bol, celui que j'ai toujours. Je le remplis. J'y trempai mes lèvres et le tendis à mon plus proche voisin. Théodore, dit-il. Et chacun, avant de boire, se nomma. Cinq fois je versai le vin dans la coupe avant qu'elle n'ait fini le tour du village. Je bus après tout le monde et renversai la dernière goutte sur le roc poudreux.

Les uns après les autres, ils s'en allèrent, posant leur main sur mon épaule pour me faire sentir qu'ils ne m'abandonnaient pas, que je n'étais pas une étrangère mais la bienvenue.

Igor ne s'était pas trompé d'endroit.

Phos. Lumière.

J'étais chez moi.

Les premiers jours j'osais à peine regarder le paysage.

C'était trop.

Ne pas pouvoir lui dire merci.

Ne pas sentir son bras entourant mon épaule, le soir, quand je me penchais vers la mer.

Ne pas pouvoir lui dire :

– Igor, cette maison a besoin d'un enfant, veux-tu que nous en adoptions un?

« Beauté. Douleur ».

C'est ça. Dès le lendemain de mon arrivée, le printemps avait éclaté comme une grenade.

Il a fallu accepter le printemps.

Il a fallu accepter de revivre. De se mêler aux habitants. D'aller pêcher avec Théodore. De descendre boire un ouzo chez sa femme Théodora. Ils sont cousins, ils se ressemblent, je les appelle « les jumeaux de la mer », le peintre allemand le leur a traduit et ça les a fait rire.

Rire. M'entendre rire. Ça aussi il a fallu accepter.

Sur la dernière page écrite du cahier, un seul mot :

« Pâques ».

Quand les cloches de la petite église blanche aux

portes bleues se sont mises à sonner, j'ai cru que je n'aurais pas le courage d'y aller. Mais comment leur faire comprendre mon absence?

Ils m'avaient tant donné, c'était bien mon tour. Je les voyais se rassembler dans la clarté du beau jour. Endimanchés. Heureux. Les gens du phare étaient venus en bateau. Ceux de la pointe des acacias aussi, avec leurs cinq fils. Et le clergé barbu, qui ne se déplace que pour les fêtes. Alors j'ai pris un grand châle noir et, la tête couverte comme toutes les femmes de l'île, je suis descendue me joindre à eux.

Ce fut très long, très beau, très obscur.

Je serrais les dents et, sur le parvis, j'ai dit avec eux qu'Il était ressuscité, qu'en vérité Il était ressuscité, et je suis remontée regarder le vide de ma vie depuis ma terrasse amirale.

Mort, Igor? Ça te va si mal.

Parfois je pense qu'on va arrêter la blague.

Au début, j'imaginais de longs reportages qui te retenaient loin de moi. Je me voyais trouvant un sac dans l'entrée, tes vêtements répandus à travers la chambre, j'entendais déjà le bruit de la douche... « Tu es là, chéri? »

Mais on ne ramène pas de photos de l'au-delà et tu t'entêtes à ne pas revenir.

Je me réveille dans notre lit – tu n'es pas là –, je vois la petite forêt par la fenêtre – tu n'es pas là... Pourquoi? Je t'en veux. Le petit bouleau est bien revenu, lui.

Alors je me répète : Igor est mort, Igor est mort, comme une leçon que je dois apprendre par cœur.

Turcla, Jean, Glinglin, ils auraient tous voulu m'accompagner. Mon voyage à Phos les épouvantait :

« Tu es folle de partir seule! C'est à des heures et des heures du Pirée en bateau! Et quel bateau! Tu ne parles pas grec! Tu ne connais pas la maison! Igor n'a pas eu le temps de l'installer! Tu vas être coupée de tout! »

C'était ce que je souhaitais.

Entrer seule, vivre seule à l'intérieur de ce cadeau posthume. Au cœur de :

« cette merveilleuse surprise qui t'attend ».

Quel silence! Silence des mots. Car la nature se mit à me parler comme autrefois, au ras des marches, au temps de l'école de l'escargot et du lézard.

Et la Grèce compatissante m'envoya son odeur pour endormir ma souffrance. Dès le premier soir elle fit s'ouvrir pour moi la fleur de nuit dans sa jarre; dès le premier matin, bruit ténu, bruit d'avant la lumière, j'ai assisté à la mise au monde du jour.

Clytemnestre. Sans âge. Fripée. Noire. Amie. Un jour je lui ai fait boire du thé. Elle se méfiait. Elle a aimé. Souvent elle s'arrête, et ses chèvres avec elle. Elle sucre son thé avec du miel, touille et boit avec de grands bruits. Elle me raconte des choses mystérieuses que je ne comprends pas. Elle rit, je ris avec elle. Elle glisse un œil avide dans la salle de bains, elle regarde mes peignes, mes brosses, mes flacons, et cette panoplie austère l'émerveille. Puis elle insulte ses chèvres qui dévorent ma treille et sautent sur le muret pour prendre la terrasse d'assaut, attaquer mes jarres... et elle s'en va, bougonne, le bâton à la main, vers son désert de pierres avec son pensionnat de diablesses, à qui je pardonne tout à cause d'un éclat de rire.

L'éclat de rire d'une petite fille qui n'existe pas encore dans ma vie et qui bientôt va la remplir jusqu'à la faire déborder.

Mais là, en ce premier séjour à Phos, la Veuve ne sait rien.

Peu de temps après Pâques se produit un événement considérable. On installe le téléphone chez Théodora. Sur le port, je rencontre un ingénieur d'Athènes qui parle anglais, je lui demande ce que je dois faire pour avoir une ligne. Il note mon nom sur sa liste, me regarde et me dit que je suis déjà inscrite. Demain on fait le branchement. Pour me le prouver, il me tend un papier où je vois la signature d'Igor.

Théodora a tout suivi par-dessus mon épaule, elle s'est signée et a marmonné quelque chose. L'ingénieur m'a traduit :

– Elle a dit : « Les morts veillent sur nous. »

Les hommes du téléphone ont apporté du courrier. J'en monte un gros paquet dans la maison où, demain, je serai reliée au monde.

On s'inquiète de moi à Paris! On croirait que je suis partie chez les anthropophages.

« Si tu n'écris pas, menace Turcla, je lance un avis de recherche! »

De bonnes nouvelles : un nouveau tirage des « Filles de la Mer Intérieure », et un éditeur de Boston qui m'invite pour que je fasse un livre « à l'ancienne » sur les romancières américaines. Il m'envoie la liste de celles qui ont déjà donné leur accord, un projet de contrat, des dates...

Il y avait aussi une lettre d'Argentine. Je me suis demandé qui pouvait m'écrire d'un pays où je ne connaissais personne.

Un autre éditeur?

Non, c'était Leïla, la fille de Labib Chakkour, m'annonçant leur installation en Amérique du Sud et la mort de son père.

J'ai gardé la lettre, bien sûr, je l'ai rangée derrière la fenêtre de la haute horloge de cèdre. Chez elle. J'espère que les loirs ne l'auront pas mangée cet hiver. Mais non, elle est toujours là, à l'abri dans sa cachette. Intacte. Je la sors de l'enveloppe... Je la relis... Odeur, douceur, chaleur...

« ... nous sommes partis de Beyrouth en quelques

heures. Sélim, le grand copain de Titou, venait d'être tué à un mètre de lui, en sortant de l'école. Il avait sept ans. Nous n'avons pas voulu laisser papa à Alep, peut-être avons-nous eu tort? Il était sans doute trop vieux pour qu'on l'arrache à son cédrat, à son palais incommode, à ses vieux amis de toute confession, à sa terre bien-aimée?

« Les enfants, eux, s'habituent. Déjà ils parlent couramment l'espagnol et ils nous reprennent quand nous faisons des fautes. A table, nous nous entêtons à parler français. Pour eux et pour nous. Pour la mémoire de mon père aussi. Combien de temps cela sera-t-il possible, belle franque?

« Il vous appelait toujours ainsi et ce nom faisait rêver les enfants.

« Le dernier jour, au crépuscule, il s'est inquiété : " Je n'ai pas entendu le muezzin? "

« Je n'osais pas lui dire que nous étions à l'autre bout du monde mais il a tout lu sur mon visage. Il m'a regardée longtemps, il a pris ma main et il a dit :

« " ... l'exil... ". »

Cher oncle de Syrie, à mon dernier passage à Alep – que je ne savais pas être à ce point le dernier – il se pencha pour me voir descendre son escalier profond et, quand je fus au bas des marches, me cria :

– Reviens souvent, Gabrielle, ton ombre est légère...

Je range la lettre de Leïla derrière les chiffres de poussière. Je ne saurai jamais quelle fut l'Odyssée de la pendule, plus personne n'est là pour me la raconter.

Je suis rentrée à Paris après deux mois de solitude.

Ce fut un peu dur de retrouver la maison. J'ai jeté

la brosse à dents d'Igor. Ce geste infime me déchira profondément.

J'avais beaucoup de courrier, beaucoup d'appels, j'étais très entourée.

Une Mme Schlappfer avait laissé plusieurs messages. Elle voulait absolument me voir. J'allai à ce rendez-vous en me demandant qui ce pouvait être ? Bel immeuble, portes de verre, moquettes douces, fleurs fraîches, liftier souriant, secrétariat aimable... « Mme Schlappfer vous reçoit tout de suite... » Un bureau de ministre de l'an 2000 et Patty Lou qui se lève, me tend les bras, les larmes aux yeux, me fait asseoir, me raconte son histoire en me tenant les mains.

Le désastre du film. La ruine. Le suicide de Mathias. La lutte avec la famille Schlappfer, avec le conseil d'administration. La fuite avec son fils en Turquie où Oum les recueille.

– C'est là que j'ai reçu votre lettre, Gabrielle, et les messages d'Igor. Mais je ne pouvais pas répondre. Il me fallait revenir à la surface. Gagner. Prouver.

Mathias lui avait laissé un peu d'argent. Elle monte une nouvelle société. Commence par un film d'entreprise. Des publicités. Puis un long métrage. Succès. Elle rachète des actions de la Schlappfer. Elle gagne son procès contre la famille...

– ... et voilà, dit-elle en désignant le cadre qui l'entoure.

Mais elle n'a pas voulu me rencontrer pour me dire qu'elle est riche, elle me demande si ça m'amuserait de suivre un film comme photographe ? Je n'ose lui dire que je me suis amusée une fois pour toutes avec « le Harem », je remercie et je dis que, pour le moment, c'est difficile.

Elle me montre une grande photo de son fils, adorable, sur le mur.

– N'est-ce pas qu'il ressemble à son père ? dit-elle avec ferveur.

232

Et c'est vrai. Ce beau petit garçon ressemble à son invraisemblable clown de père.

Elle en a de la chance, Patty.

Moi, je n'ai plus rien.

Je me lève, elle aussi, et elle vient glisser son bras sous le mien :

– Soyons simples, Gabrielle. Je sais que vous travaillez beaucoup, que vous n'avez pas besoin de moi, mais... si un jour vous étiez dans le pétrin... je suis là!

Puis elle se tape sur le front.

– Mon Dieu! j'allais oublier de vous faire les amitiés d'Oum! Elle vient tous les ans en France pour embrasser sa grand-mère d'Issoudun, on tâchera d'organiser quelque chose à son prochain voyage. Elle a été fantastique avec moi, vous savez. Elle fait une très grande carrière en Turquie et, en plus, maintenant, elle est député! Oui! J'étais à Ankara quand elle a été élue!

Le député Aksaray. C'était assez logique, au fond.

– Oh! je voulais vous demander, Gabrielle : avez-vous des nouvelles de Perle Vanilo? J'ai perdu sa trace, personne ne peut me dire où elle est et j'aimerais bien retravailler avec elle...

Je n'ai pas eu le courage de lui raconter notre rencontre au moment de la mort d'Igor. De toute façon, je n'avais aucune idée de l'endroit où était Perle. Je promis à Patty de la contacter si je savais quelque chose.

Elle me raccompagna jusqu'à l'ascenseur. Nous étions loin des paupiettes bien moelleuses et je me sentais sotte d'avoir si peu deviné le courage, l'intelligence et la force qui se cachaient dans la petite bonne femme blonde tricotant auprès du chameau-orchestre d' « Azyadé ».

Au fond, c'est merveilleux de découvrir les êtres. De s'apercevoir qu'on s'est trompé. Surtout dans ce sens-là.

Alors j'ai fait l'Amérique.

Des mois de promenade à travers les États, de romancière en romancière, avec la lanterne magique sur le dos.

Un moment translucide de ma vie.

Pas un passage à vide, non, un passage vide.

Oh! rempli de joies, de rencontres, de chaleur humaine, de travail, d'amitiés. De fric aussi.

Sweet smell of success...

A Broadway, je suis allée à la première d'un film produit par Patty. J'ai applaudi, debout avec la salle, et je suis rentrée dans ma chambre solitaire de l'hôtel « Pierre » en me disant : riche et célèbre... les morts veillent sur nous.

Parfois je me souvenais des gestes de l'amour avant de me souvenir que j'étais exclue de ce délire.

Je trouvais dans ma chambre des fleurs, des fruits confits, des invitations qui me disaient que j'étais encore une femme. Je mettais les fleurs dans l'eau, je mangeais les fruits confits, je m'excusais de ne pouvoir me rendre libre pour dîner, cher Peter, Andrew, Jim ou Jonathan...

J'étais encore une femme. La femme d'Igor.

Ce fut épatant, l'Amérique, période cristalline sur fond de ciel noir, mais ce fut encore plus épatant de retrouver la terrasse de Chaillot, mes arbres, mes amis, puis de partir, en plein hiver, pour Phos où je dormis avec un bonnet, le nez rouge, flanquée de trois bouillottes, éblouie par la beauté du ciel, la rage de la mer et l'hospitalité des Grecs. Ils n'avaient jamais vu de touriste hors saison. Pendant le voyage de retour, j'ai cru qu'on allait pêcher la morue en Islande tellement ça pinçait. Aussi ai-je pensé que l'invitation du Royaume de ... ڧ, émanant du souverain lui-même, me proposant de venir photographier son pays, tombait miraculeusement sur mes engelures. Et je repartis.

J'avais changé d'avion à Damas.

J'étais maintenant à bord d'un avion de la Royal ... قAir Line.

En première classe.

Avec du caviar. Et du thé. Sucré.

Et des marques de respect incroyables.

Qu'est-ce qu'il me voulait, ce roi?

Moi, les rois, ça ne m'avait jamais vraiment interpellée, comme on dit quand on cause dans les médias.

En avais-je seulement rencontré un dans ma vie? Jamais.

Si! Un tout noir, en Afrique! Il portait une robe de bébé avec des smocks, un bonnet en panthère et il riait de bon cœur pendant que je le photographiais sans se douter qu'il allait inaugurer sa prison modèle, mais dans le mauvais sens.

Comme client.

A part ça, pas de roi. Et celui-là, ce Mansour qui voulait des photos de son pays signées Nogarède, ça allait être quel genre?

Le costume de Savile Road et le golf? ou bien la serpillière au ras des sourcils?

Devrais-je lui donner du Sire? du Votre Majesté? ou du Monsieur?

Quand j'ai vu la Rolls blanche, le fanion, l'escorte de motards, j'ai commencé à paniquer. Qu'est-ce que tu viens faire là, Gabrielle? Tu ne pouvais pas rester dans ton laboratoire à transmuer nos écrivains en romanciers du XIXᵉ siècle? Tu ne pouvais

pas rester dans ton île avec les chèvres de Clytemnestre ? Enfin, à la guerre comme à la guerre,
j'entrai bravement dans l'air climatisé en serrant
mes appareils contre moi comme des armes.

Je devais avoir ma tête de close-combat lorsqu'un
vizir des Mille et Une Nuits m'a introduite en
silence, une heure plus tard, dans le grand bureau
du roi ouvert sur les jardins du palais.

Il s'est levé en me voyant entrer et a quitté sa
table, venant vers moi, la main tendue.

Il souriait mais, derrière son sourire, on voyait
qu'il était sous le coup d'une intense émotion.

– Madame, dit-il, soyez la bienvenue à … ق.

Il me désigna un fauteuil et s'assit également, non
loin de moi.

Comme genre c'était militaire. Mais l'uniforme
pouvait très bien venir de Savile Road.

– Avant toute chose, madame, je vous dois des
explications. Mon invitation vous a peut-être surprise. Vous comprendrez tout quand je vous aurai
simplement dit : Igor était mon ami.

Nous avons baissé les yeux tous les deux. Sur un
très beau tapis de la Savonnerie dont les fleurs se
brouillaient devant moi.

– Depuis qu'il nous a quittés, je suis poursuivi par
l'idée de vous rencontrer. Je n'ai pas osé tout de
suite déranger votre douleur. Pardonnez-moi la
brutalité de mes propos.

Je levai les yeux sur lui.

Il avait dominé son trouble. Il avait l'avantage de
savoir ce que je venais d'apprendre. Il avait aussi
l'avantage d'être chez lui. Je n'oserais pas dire qu'il
parlait le français comme un Français car on pourrait en déduire qu'il le parlait mal. Il s'exprimait
avec grâce, sans l'ombre d'un accent et, je devais le
constater par la suite, avec une richesse de vocabulaire qui eût comblé Baba.

– Vous ne m'en voulez pas de vous avoir infligé ce
long voyage ?

– Je vous en remercie, murmurai-je.

– Et puis, il y a une autre raison... je n'étais pas le seul, quelqu'un voulait vous voir... vous revoir plus exactement.

Il souriait. Puis il se leva et alla ouvrir une porte derrière son bureau.

Et Perle entra.

Elle était vêtue d'une longue robe de mousseline pâle où couraient des guirlandes de lierre comme sur la tunique d'un Botticelli. La petite feuille d'or se balançait à son oreille. Elle était belle comme le printemps et cependant, ce que je voyais tandis qu'elle venait vers moi les bras ouverts, c'était une fille en battledress, une fille aux yeux brûlés de larmes marchant avec des soldats léopards sur un aéroport d'Afrique, un jour de deuil, vers un appareil marqué d'une couronne et du croissant.

Je venais juste de sortir la photo du bain.

Au début du dîner, stupeur : un serviteur versait du vin dans mon verre. Dans celui du roi comme dans celui de Perle, il n'y avait que de l'eau.

– Je vous en prie, dit le roi en levant son verre.

Pour la première fois de ma vie, je n'avais pas envie de boire. J'étais affreusement gênée, comme une ogresse pour qui des végétariens ont fait rôtir un petit garçon, histoire de lui montrer que, chez eux, on sait recevoir. Mansour dit quelque chose en arabe et ajouta pour moi, en français :

– Je vois que vous avez besoin d'être rassurée !

Le serviteur démaillota alors la bouteille de vin et me la présenta. Je lus :

Château Nogarède
Cru Bourgeois Supérieur (Clas. 1932)
Appellation Pauillac Contrôlée
1975
Produce of France

Et je compris d'où venait la commande fabuleuse qui nous avait tant étonnés, Karl et moi, quelques années plus tôt, et qui « transitait par intermédiaire pour acheteur désirant garder l'anonymat ».

Je bus lentement. Il n'avait souffert ni du voyage ni de la chaleur. Il était parfaitement préparé. Température idéale...

– Il en reste 3 738 bouteilles, dit le roi, et il est pour vous !

Je faillis m'étrangler.

Perle éclata de rire. Le serviteur sombre qui avait dû être Chevalier du Tastevin dans une vie antérieure me servit derechef et je me vis attablée sans merci devant des milliers de bouteilles et condamnée à les boire jusqu'à ce que mort s'ensuive.

Je les regardais tous les deux et j'étais frappée par leur ressemblance. Polis par des siècles de civilisations et de barbaries alternées, leurs profils étaient ciselés par la même main comme celui du pharaon et de sa sœur-épouse. Ils semblaient descendre de la même race, de la même famille. Il était beau, elle était belle. Ils étaient plus beaux ensemble. Rayonnants.

Igor revenait sans cesse dans leurs propos et leurs visages s'éclairaient encore en prononçant son nom.

Mais qu'avaient-ils donc partagé avec lui d'essentiel ?

Loin de moi. Sans m'en avertir.

J'ai dit :

– Je voudrais savoir...

Ils échangèrent un regard et Perle posa un doigt sur ses lèvres tandis qu'un serviteur me présentait une tasse de café. Par les baies vitrées on découvrait une nuit sombre parée de guirlandes lumineuses scintillant à l'infini comme des colliers sur le désert.

Nous avons fait quelques pas sur la large terrasse, si large qu'on pouvait y parler sans risque d'y être entendus et c'est là que j'appris ce qu'ils avaient partagé.

Dieu.

Quelques années plus tôt, j'aurais éclaté de rire. Ce soir-là, j'avais envie de pleurer.

J'avais devant moi des croyants d'un modèle qui n'avait jamais existé. Si sûrs de leur foi qu'ils acceptaient celle des autres.

Ainsi, j'avais vécu des années avec un homme sans savoir qui il était. Le désespoir montait en moi comme une nausée. Pourquoi m'avait-il tout caché?

– Parce qu'il vous aimait, dit Mansour. Il savait ce qu'il risquait et voulait vous tenir à l'écart. Il avait peur pour vous, lui qui n'avait peur de rien. La Révélation est un bloc que chacun veut garder pour soi, alors c'est dangereux d'essayer de partager. Nous insultons toutes les croyances, nous qui les respectons toutes. Igor disait que, seul, le petit garçon du Liban pouvait nous comprendre, vous vous souvenez?

Si je me souviens? L'enfant en tablier à carreaux qui se donnait quatre ou cinq ans à vivre et qui aurait bien voulu « devenir une grande personne pour apprendre aux gens à s'aimer ». Pourrai-je jamais oublier le jour où je n'ai même pas eu le temps de savoir si j'avais du courage, le jour où j'ai abandonné le combat avant de l'avoir commencé, le jour où Igor a dû comprendre que je n'avais pas la force d'entrer dans leur ronde. Il a bien fait de m'en écarter. Je n'aurais pas pu tenir ma place dans l'orchestre, dans le concert de louanges autour du Créateur, merci pour la guerre, merci pour le sang, merci pour l'enfant qui ne deviendra pas une grande personne, merci pour les bombes et la souffrance... Depuis un moment, Mansour parlait des chrétiens, il disait qu'ils l'avaient longtemps étonné...

– Les Français particulièrement. Ils se défendent toujours d'éprouver les sentiments profonds qu'ils admirent chez les autres. Igor, lui, était le contraire. Il proclamait. Fort. A haute voix. Quand il nous a rejoints pour déclarer la paix comme on déclare la guerre, j'ai senti qu'il était temps de faire confiance à Dieu. J'ai vu venir vers nous des gens de toute sorte, de tous les horizons, de toutes les certitudes... Nous n'étions plus seuls. Par la force d'Igor. J'ai toujours pensé qu'il savait le centième nom du Miséricordieux, celui qui ouvre la porte.

Je n'en pouvais plus. Perle vit que je pâlissais et fit remarquer que je devais être fatiguée.

Je dis un « Bonsoir, Votre Majesté » franchement ridicule et Sa Majesté en profita pour me demander de l'appeler Mansour. Au point où j'en suis... « Bonsoir, Mansour. »

Je titube au bras de Perle derrière un soldat armé jusqu'aux dents. Les interminables couloirs qui mènent à ma chambre ne seraient-ils pas sûrs?

Le soldat nous ouvre la porte, jette un coup d'œil à l'intérieur, nous enferme et s'installe sur le seuil où il attendra Perle pour la convoyer vers ses appartements.

Nous sommes restées longtemps dans les bras l'une de l'autre. En silence. Quelques bruits de larmes. Tout remontait à la surface. Tout revenait en pleine lumière. Tout, brusquement, nous étouffait, rompant les digues de l'absence et de l'oubli.

La tête dans les cheveux de Perle, j'ai posé la question essentielle :

– En Afrique, pour Igor, ce n'était pas un accident?

– Non, dit-elle, ce n'était pas un accident.

On lui avait donné une voiture sabotée. Et un chauffeur sacrifié. Mais qu'est-ce que c'est qu'une vie humaine de plus ou de moins quand des millions sont en jeu? Trafiquée comme elle l'était, la voiture ne pouvait finir que dans le ravin. Très naturellement.

J'avais toujours la tête dans les cheveux de Perle, soudain elle prit mon visage entre ses mains :

– Tu ne dois pas en vouloir à Igor! Il te voulait vivante! Tu ne sauras jamais à quel point il t'aimait! Moi je le sais, j'ai failli mourir de cet amour. Il te charriait dans son sang... il respirait de ton souffle... et puis enfin, Gabrielle, reconnais-le honnêtement, tu lui as tellement répété que tu ne voulais pas entendre parler de Dieu, il t'a crue!

J'ai dit :

– Il aurait dû insister! et, brusquement, pleines de larmes, nous avons éclaté de rire.

Perle est allée chercher une boîte de Kleenex sur la coiffeuse et l'a installée entre nous sur le lit. Nous avons pris les Kleenex à poignées, nous nous sommes mouchées avec fracas et, ensemble, nous avons encore plus ri et encore plus pleuré.

Je remarquai un petit Coran d'or qu'elle portait au bout d'une chaîne :

– Alors, tu es devenue musulmane?

Sa stupéfaction fut telle qu'elle cessa de pleurer.

– Musulmane? Mais non! je suis juive!

– Ici?

– Partout, dit-elle.

– Mais n'est-ce pas dangereux?

– C'est toujours dangereux d'être juif, m'accorda-t-elle.

– Juive chez un souverain arabe! Tu n'as pas peur?

– Si. Mais je suis juive. Et tu sais pourquoi? Je suis juive parce que j'aimais Igor qui portait une croix et parce que j'aidais Oum à lire ses prières en arabe. Alors, un jour, je me suis retrouvée en train de copier la Loi de ma main. En hébreu. Heureuse. A leur contact, en les voyant vivre, j'avais contracté la Foi, comme une maladie. Incurable. Tout le monde n'est pas vacciné comme toi! Alors je suis retournée vers les miens et ce sont des juifs qui m'ont menée à

Mansour. A Rome, si tu veux tout savoir. J'ai eu du mal au début. J'avais l'impression de trahir, de rompre l'Alliance. Je ne comprenais pas. Je ne voulais pas croire à la sincérité d'un prince arabe. Et puis j'ai commencé à l'aimer. Et j'ai eu peur. Parce que, lui aussi, se mettait à m'aimer à travers l'impossible. L'interdit... Je lui ai dit tout ce qui pouvait le détourner de moi. Le vrai, le faux. Il a écarté le faux et accepté le vrai. Un jour, il m'a demandé de vivre avec lui, j'ai dit oui... Oh! mais je manque à tous mes devoirs! Est-ce que tu as tout ce qu'il faut?

Elle courut de la chambre à la salle de bains, en maîtresse de maison attentive qui veut savoir si on n'a pas oublié une serviette, inspecta les savons, les flacons et les poudres, ouvrit une armoire....

– Qui es-tu, ici, Perle?

– Madame de Maintenon, dit-elle en me faisant un clin d'œil.

– Il n'y a pas de reine?

– Il nous en reste deux, mais répudiées. Chacune vit dans son palais, entourée d'enfants, parée de bijoux, gavée de sucreries. Mansour les visite tous les ans. En grand uniforme. Il boit un verre de thé et s'en va au bout d'une demi-heure, en laissant un rubis ou une émeraude. Il a passionnément aimé la reine Bahard, elle est morte il y a huit ans, comme au Moyen Age, en mettant au monde une petite fille qui n'a pas vécu. Heureusement, il y a le prince héritier Abd er-Rahman, le merveilleux Abd er-Rahman dont tu n'as pas fini d'entendre parler car je crois que j'en suis encore plus folle que ne l'est son père!

– Je le verrai?

– Pas cette fois, il est très loin d'ici, il va avoir seize ans et devine où il fait ses études?

– A Londres?

– Oui. Mais où? Au Lycée français! Comme moi, comme son père! Tu as vu comme Mansour parle le

français? On a eu le même professeur, M. Dubois!
C'est drôle, non? Mais on parlera de tout ça demain,
tu as besoin de dormir.

Je désignai le petit Coran d'or au bout de sa
chaîne.

– C'est celui que portait Mansour quand il était
enfant, me dit-elle, il me l'a donné le jour où nous
nous sommes engagés l'un à l'autre.

Elle le détacha, l'embrassa et le garda au creux de
ses mains jointes.

– A la naissance d'un enfant, on glisse une sourate
à l'intérieur, jamais il ne saura laquelle, jamais il ne
cherchera à le savoir... Le jour inévitable, Le front
sévère, Le ciel qui se fend, Le soleil ployé, Le Mont
Sinaï, L'abeille, L'unité de Dieu... peu importe,
quelle qu'elle soit, elle est la plus belle. Et ce Coran
est le plus beau de tous, j'ignore quelle est sa
sourate mais quand Igor... (ses yeux se remplirent
de larmes)... quand Igor nous a quittés, j'y ai
enfermé une étoile et une croix.

– Mansour le sait?

– Il sait tout de moi.

– Tout?

Elle acquiesça en silence.

– Alors il sait tout de moi?

– Non, dit Perle. Il sait notre amitié. Cela lui
suffit. Jamais il ne cherche à forcer un mystère.
Respect de la sourate inconnue. Patience de
l'Orient. Sagesse...

Elle remit en place l'effrayant sanctuaire, déposa
un baiser sur mon front, alla taper à la porte et s'en
alla, escortée de son garde, le long des interminables couloirs.

L'air conditionné ronronnait comme un grand
chat apprivoisé chargé de veiller sur moi. Je m'en-
dormis sous sa garde. Je n'en voulais plus à Igor
d'avoir osé être lui. J'aurais seulement voulu pouvoir le lui dire... le sommeil m'emporta avec un
sourire tandis que je me souvenais d'un grand

garçon dans un escalier qui disait à une fille nue :
« Vous verrez, je suis quelqu'un d'assez bien. »

Le lendemain, un étudiant cracha sur la voiture de Perle.

Ce crachat nous sauva la vie.

Un bon terroriste doit d'abord jeter sa bombe et cracher ensuite.

Je commençais à comprendre le bien-fondé des escortes, des gardes, des motards. Tout s'était passé selon une impitoyable chorégraphie. East Side Story. Le chauffeur avait accéléré, roulé sur le gazon du Campus, viré à angle droit et repris la direction du Palais sans manifester la moindre surprise, la moindre émotion, tel un acteur qui a répété cent fois la scène. Dans notre dos, le compte de l'agresseur était en voie de règlement. Dieu est infiniment sage.

Mais plus question de visiter... ق, son Université, ses Mosquées, son Musée des Sables. On rentrait à la maison dans le hurlement des sirènes, la rue se creusait devant nous, sur le pare-brise, étoile gluante, le crachat s'étalait, plaqué par la vitesse.

Perle était profondément troublée. Elle était devenue très pâle et semblait avoir oublié ma présence.

– Jamais, dit-elle, jamais ! C'est trop dangereux ! Il ne faut pas qu'elle vienne...

Je demandai qui ne devait pas venir.

– Myrîam, répondit-elle, ma fille.

Myrîam. Ma fille.

C'est là que tu es entrée dans ma vie.

Tu avais six ans.

Je l'avoue : j'ai compté sur mes doigts. Six ans. Ça nous reportait à quand, six ans ? C'est-à-dire sept. C'était après le film... je m'en voulais de faire ces comptes sordides. Il me semblait que je faisais les poches à un mort. J'avais honte. Mais pas assez pour refermer le dossier. Je brûlais de demander :

« De qui est-elle la fille ? »

Je ne l'ai pas fait et Perle ne me l'a pas dit. Ni ce jour-là ni un autre. Jamais.

Le soir de l'attentat manqué, une heure avant le dîner, on frappa à la porte de ma chambre. Je crus que c'était Perle et j'ouvris à une femme âgée, en robe arabe, la tête couverte, qui me demanda dans un très mauvais anglais, le visage impassible, de me rendre chez la princesse Yusra, la sœur aînée du roi.

Je la suivis, sous la garde de deux soldats, jusqu'à une banlieue du palais à travers des cours, des patios, des vestibules et des jardins.

La princesse Yusra habitait au bord d'un bassin où roucoulaient des tourterelles. La femme au visage impassible me fit entrer dans un salon Louis XV d'une laideur recherchée et resta debout, les bras croisés dans ses manches.

– Pardonnez à une impotente de ne pas se lever pour vous accueillir, madame, dit une voix grave. J'ai perdu l'usage de mes jambes dans un accident de voiture. Soyez la bienvenue !

La princesse me tendit une petite main étincelante de bagues et me fit signe de m'asseoir à côté de son fauteuil d'infirme. Elle s'exprimait dans un français qui sentait le musc et le benjoin. Lourde et massive, son immobilité était une immobilité de rocher. Mais ses yeux noirs, immenses, admirables, faisaient penser au temps où l'on ne les apercevait que derrière des voiles, messagers de tous les rêves.

Je m'assis.

Elle frappa dans ses mains et la vieille femme ouvrit un secrétaire Louis XV comme on ouvre un Frigidaire – ce qui n'était pas idiot car c'en était effectivement un – et en sortit un flacon de jus de fruits qu'elle posa sur un guéridon d'onyx en compagnie de sucreries roses et vertes du plus vilain effet. Puis elle servit la princesse qui la rabroua et me tendit son verre, courtoise.

– Je connais Paris, dit-elle.

Elle ferma ses beaux yeux et parut s'endormir profondément.

Le son de sa voix me surprit au milieu de mon jus de fruits.

– Mon auguste père nous emmena, il y a bien longtemps, visiter la France... et les châteaux de la Loire, précisa-t-elle comme s'il s'agissait de deux pays distincts. Nous avons même assisté à un cours à l'École du Louvre!

Elle posa sa petite main sur mon bras, copine, et me sourit, découvrant des dents ravissantes. Nous parlâmes un moment comme si elle ne m'avait fait venir que pour réviser son « Guide bleu ». Quelque chose semblait l'intriguer...

– Vous êtes une très belle femme, mais... comment se fait-il que vous ayez l'air arabe?

Sans doute les Maures de Mousa-ibn-Noseïr, galopant à travers la Narbonnaise au début du VIIIe siècle, avaient-ils eu juste le temps de me programmer avant d'aller se briser contre le Marteau de Dieu?

Mais elle était déjà passée aux choses sérieuses.

– On vous a agressée, dit-elle. Nous en sommes très affectés.

J'essayais de la consoler en lui disant que partout dans le monde on risquait, à notre époque, de se faire agresser chaque fois qu'on sortait acheter des poireaux ou des bretelles...

– « Poireaux »? demanda-t-elle avec inquiétude, « poireaux »?

Visiblement, elle n'avait jamais entendu ce mot et l'allium porrum ne devait pas foisonner dans les potagers et sur les marchés de ... ف car, charmée d'avoir fait la connaissance de ce légume, frappant derechef dans ses mains, elle donna un ordre à sa suivante. Qui alla ouvrir le pendant du Frigidaire Louis XV, mais cette fois elle l'ouvrit comme un secrétaire – car c'en était un –, en sortit un cahier d'écolier et un Bic tout à fait démocratique et me les apporta.

J'écrivis « poireau » tandis que les deux femmes retenaient leur souffle et la princesse me demanda d'écrire également le nom de l'autre légume. J'eus beaucoup de mal à lui expliquer ce qu'était une paire de bretelles et, quand elle eut compris, elle traduisit pour la dame de compagnie et toutes deux s'esclaffèrent comme des bonnes sœurs qui ont vu les mollets de monsieur le curé.

Mais il fallait plus d'une bretelle pour faire perdre le fil de ses pensées à la princesse Yusra. Elle revint à l'étudiant et à l'attentat.

– Il a parlé avant de mourir, dit-elle, et j'eus froid dans le dos. Il a annoncé que d'autres viendraient après lui. Il a annoncé la mort de Mansour!

Elle cacha sa tête entre ses mains et je crus qu'elle allait se mettre à pousser des you-you en la voyant se balancer d'avant en arrière comme une possédée.

Mais elle se reprit et s'agrippa à moi avec la force des infirmes :

– Dites à mon frère qu'il se garde! Qu'il se souvienne qu'il est l'Ombre de Dieu sur la terre et qu'il doit punir! Qu'il se souvienne du téléphone!

J'étais un peu perdue entre le téléphone et l'Ombre de Dieu. La princesse m'expliqua que, quand elle était encore une enfant, son père avait fait installer le téléphone et qu'il avait failli y avoir une révolution, les docteurs de la Loi, les ulémas l'avaient menacé de la colère du Ciel.

– Ils disaient que le Prophète (à lui bénédiction et salut) n'aimait pas le téléphone!

Elle ouvrit les bras pour me faire mesurer l'énormité de leur bêtise. Puis elle repartit, lyrique, célébrant l'œuvre de Mansour et disant que celui qui a fait jaillir l'eau dans le désert, qui a fait pousser le blé là où il n'y avait que des pierres, ne doit pas s'étonner d'avoir des ennemis.

Soudain, presque timidement, sans la nommer, elle me parla de Perle :

– Dites à votre amie de veiller sur mon frère.

Big Ben sonna brusquement dans le salon Louis XV, laissant tomber l'heure du dîner d'un cartel tellement tarte que je restai en arrêt devant lui, incrédule.

La princesse me renvoya, affolée à l'idée de me mettre en retard et de faire attendre son auguste frère. Mais elle prit quand même le temps de me répéter :

– Qu'elle veille bien sur lui! et, roulant son fauteuil jusqu'à la porte, de me raccompagner sur le seuil de ses appartements en demandant pour moi la bénédiction de l'Unique.

Quelque chose de brutal avait pris possession du Palais. Les soldats semblaient sortir de cachettes, comme si, tapis dans l'ombre depuis toujours, ils y avaient attendu l'heure d'entrer en lice. On croisait des détachements qui parcouraient, d'un étrange pas dansé, les couloirs carrelés de porcelaines délicates. Des gardes étaient postés à toutes les issues, le regard fixe.

Mais, ni l'inquiétude ni la gravité de la situation ne pouvaient altérer la courtoisie de mon hôte, effacer son sourire ou décourager sa détermination à me faire boire mon vin au dîner.

Un verre de bordeaux, je l'avoue, me parut la seule chose qui pouvait me permettre d'encaisser la série d'électrochocs qui venait de m'être administrée.

En moins de vingt-quatre heures, j'avais fait camarade avec l'Ombre de Dieu sur la terre, découvert que mon mari avait été assassiné, retrouvé Perle, appris qu'elle avait un enfant et – j'allais l'oublier –

on avait essayé de nous tuer. Aussi le vin de mes pères me parut-il ce soir-là un avant-goût des célestes délices qui ne sauraient tarder d'être miennes pour peu que je m'attarde en ce séjour.

— Je me fais des reproches, Gabrielle, dit Mansour au début du dîner. Je n'imaginais pas que ce fût si dangereux d'être mon invitée. Je m'en veux de vous avoir fait venir! Voulez-vous repartir demain?

— Avec tout le vin qui reste dans la cave? m'écriai-je en regardant mon verre que le serviteur-échanson remplit avec précipitation.

Je plaisantais, je faisais la brave, en réalité, je sentais le danger. Mais je ne regrettais pas d'être là. Que pouvais-je perdre encore? La vie? Et alors?

Personne ne m'attendait à la maison. Et puis, abandonne-t-on un reportage avant même de l'avoir commencé?

Je me demandais si je devais raconter ou taire ma visite à la princesse quand Mansour prit les devants:

— Comment avez-vous trouvé ma sœur?

— Aimante, lui répondis-je. Elle m'a chargée d'un message pour vous. « Dites... »

— « ... à mon frère qu'il se garde! » acheva Mansour.

— Elle a raison, dit Perle.

Il se mit à rire.

— Chère Yusra. Je suis toujours le petit frère qu'on protège. J'irai lui faire une visite avec mes gardes bédouins, ça la rassurera. Alors, c'est décidé, vous ne partez pas?

Je restai et dès le lendemain matin, escortée par la moitié d'un corps d'armée, je retournais en ville.

Tout était rentré dans l'ordre.

Je commençai par l'Université et fus aussitôt entourée d'étudiants et d'étudiantes. Nous conversions en anglais. J'étais probablement la seule Française qu'ils aient jamais vue. Certains me demandaient où était mon pays et me tendaient leurs atlas.

D'autres me serraient la main, « je connais la France ». Ils se laissaient photographier en riant et, plusieurs fois, prièrent l'officier qui ne me quittait pas de nous photographier ensemble. Leurs sourires, leurs cris juvéniles et les livres qu'ils portaient sous le bras me rappelaient les écoliers de Syrie marchant le long de l'Euphrate et de l'Oronte, les yeux fixés sur une leçon. À part cela, aucun rapport avec la Syrie. Aucun Capétien, aucun baron franc, aucun chevalier chrétien ne s'était aventuré aussi loin.

Loin, loin, loin...

L'Arabie.

« Les déserts d'Yrcanie et les vastes solitudes de l'immense Arabie »... dont parlait Shakespeare.

Ces vastes solitudes me donnaient le vertige. J'avais envie de m'y jeter comme dans un gouffre.

Le désert au bout du jardin, comme un champ de blé ou une vigne...

Une nuit, à Amman, en Jordanie, en pleine ville, dans un palace avec sa piscine sur le toit, son coiffeur, son sauna et ses vitrines de joailliers, une nuit j'avais été réveillée par un bruit proche qui venait de très loin dans le temps.

Des moutons.

Des moutons qui dormaient sous mon balcon et s'agitaient doucement autour de leur berger dans son grand manteau. Ce que j'avais pris pour un terrain vague était un pâturage. Cette nuit-là, j'avais eu l'impression de vivre des milliers d'années avant ma naissance et maintenant, en regardant le désert qui léchait les jardins du palais, comme la mer lèche un rivage, il me semblait avoir erré dans l'infini des sables et des pierres depuis la création du monde.

Je ne me lassais pas d'admirer le contraste entre l'univers minéral et les massifs de roses, de camélias, de cyclamens, d'azalées, les gazons verts, l'eau tournante, le bruit des fontaines au pied des sataniques pommiers de Sodome, des poivriers et des térébinthes.

Malgré sa garde, ses bédouins, ses serviteurs et l'étiquette qui réglait la vie du Palais, Mansour arrivait à me faire oublier qu'il était roi.

Nous finissions souvent la soirée dans un petit salon orné de gravures anglaises. Il les regardait et disait :

– Je m'ennuie du « lointain perfide »...

Le lointain perfide c'était le très vieux nom que les Arabes avaient donné au Couchant.

– J'ai beaucoup aimé le temps des études à Londres avec les tasses de thé devant les boiseries enfumées. Qui sont toujours celles de l'Invincible Armada, dit le dépliant touristique. Et il y a des chiens très distingués que le maître d'hôtel traite avec révérence et qui acceptent cet hommage en soupirant devant d'énormes feux de bois humide.

– Bref, dit Perle, nous aimerions nous enrhumer comme à Londres, et pas seulement à cause de l'air conditionné.

– J'envie mon fils qui est immergé dans le brouillard, la fumée, les vapeurs d'essence...

Le jeune prince vivait chez Lord Buckland qui avait fait ses études avec Mansour. Et maintenant, les fils des deux amis se rendaient ensemble chaque jour au Lycée. Abd er-Rahman et Kirby étaient inséparables. Lord Buckland les avait baptisés Castor et Pollux.

– Abd er-Rahman a les plus beaux yeux d'Arabie et Kirby les plus jolies taches de rousseur du Royaume-Uni, disait Perle, même avec du brouillard les cœurs tombent sur leur passage.

Mansour la regardait parler, rencontrait son regard, ils se souriaient. Ils s'aimaient. C'était très beau de les voir vivre. Très angoissant aussi car je n'arrivais pas à déchiffrer les raisons de tant de calme, de sérénité qu'ils conservaient au milieu d'une situation de plus en plus périlleuse. Je ne savais pas ce qui était écrit, ce qui approchait. Je sentais qu'ils avaient franchi les limites. Quelles limites? J'admirais cette poudre de lumière qui les éclairait sans savoir que les portes de la mort étaient ouvertes et que la lumière venait de là.

Un soir, nous étions en train de choisir les dernières photos, quand je vis le regard de Mansour se fixer sur l'anneau d'Adalbaud.

– Cette bague? dit-il.

Je l'ôtai pour la lui montrer et je dis, tâchant de rassembler ma mémoire :

– « Lion léopardé passant, sur rinceaux en abîme, portant luth en canton senestre du chef... »

– « Et croissant en dextre », acheva-t-il.

Nous nous regardâmes comme des voyageurs qui se rencontrent après des siècles de marche l'un vers l'autre.

Je savais maintenant dans quel royaume j'étais arrivée.

Silence du temps arrêté.

Je le découvre à la lueur dansante des torches et des flambeaux.

Je n'ose y croire.

Je regarde le jardin, le jet d'eau, les colonnes aux arabesques, les arcades ornées de céramiques...

« Gabrielle, tu es dans le Harem, dit la voix lointaine de Baba. Si tu crois que je ne te vois pas entrer dans les images, petite voyageuse... »

C'est fait. J'ai atteint le sanctuaire, la chose sacrée, inviolable, le mystère interdit à l'infidèle, à l'impur... le Harem, el Haram...

252

Intraduisible.

Il ne fallut que quelques instants pour que le Harem endormi, le Harem aboli et fermé, revînt à la vie. Des tapis se déroulèrent sur ce qui n'était plus que silence et abandon. Des coussins s'installèrent devant des tables basses, des braseros se mirent à rougeoyer dans la nuit sous l'eau du café et du thé. Odeur de la cardamome, senteurs du jasmin. Grands pots à bec, tasses minuscules sans cesse remplies...

Les yeux humides, j'écoute Mansour qui nous raconte tout ce qu'il sait du voyageur arrivé de Damas, un siècle plus tôt, au rythme lent d'une caravane.

Il ne le connaît que sous le nom de Nour ed-Din de France. L'étranger est porteur d'un talisman : une lettre de recommandation écrite de la main d'Abd el-Kader. Et une photo de l'émir.

C'est la première photo que voit le roi. Il ne sait même pas qu'une telle chose existe. Cette découverte l'emplit de stupeur et d'admiration. De crainte aussi car il connaît le h'adit : « Celui qui fabriquera une image, Dieu le punira jusqu'à ce qu'il lui insuffle une âme : ce qu'il sera à jamais incapable de faire. » Mais comment résister au magnifique regard de l'émir qui semble lui confier son ami avec les yeux comme il le lui a confié avec des mots ? Alors le souverain tombe la tête la première dans le piège de la chambre noire et le voilà parti à la suite du photographe et de son valet, et le voilà qui s'émerveille de voir un dromadaire apparaître sur la plaque de verre, un palmier, une fontaine... Il se fait photographier, avec ses chevaux, sa garde, ses enfants, à l'ombre de ses jardins, au milieu de la fournaise du désert... et, peu à peu, l'idée folle lui vient.

Avoir une photo de son épouse préférée.

Il en parle à Nour ed-Din en lui demandant le

secret. Jure-t-il de ne jamais révéler où il a pris cette photo? Jure-t-il de ne jamais révéler le nom de celle qui va poser pour lui, dévoilée? Nour ed-Din a juré. C'était l'époque de la parole donnée. C'était aussi l'époque de la parole tenue.

Je puis en témoigner, moi qui, avant de connaître le début de l'histoire, en savais la fin. Je m'accoude sur les tendres coussins, je m'installe pour conter au Commandeur des Croyants l'Histoire du Photographe Nour ed-Din et de son serment au roi de ··· ق. Mansour et Perle, retenant leur souffle, écoutent le récit de ma découverte du Harem sous son voile vert. Je raconte les trésors du photographe qui sont devenus les miens. Je dis que ni lui ni son valet n'ont jamais trahi leur serment, je m'arrête, et, le cœur ému, personne ne parle pour ne pas traverser le sillage du conte.

Alors Mansour fait porter devant nous la photo qui décida de ma vie, la photo jumelle de celle de Catusseau, si familière à mon cœur que je crus, en la voyant dans le Harem, qu'elle était une et avait don d'ubiquité.

Je me sentais troublée comme si les personnages allaient en sortir pour venir à nous maintenant qu'ils nous avaient rassemblés.

– Ce petit garçon auprès de la reine, c'est mon grand-père Abd er-Rahman, dit Mansour, c'est lui qui fit fermer le Harem vers la fin de son règne. Je me souviens de sa merveilleuse barbe blanche et de ses mains qui étaient très belles. Il me donna mon premier cheval quand j'avais deux ans et, surtout, le dessin du blason que j'ai reconnu sur votre bague. Je l'ai recopié pendant toute mon enfance en me disant qu'un jour je rendrais sa visite à l'étranger qui était venu jusqu'à nous.

J'imagine Constance, diadème en tête, accueillant son premier souverain sur le perron de Catusseau. La joie risque de la tuer! Allongée sur les coussins, dans l'odeur de résine, de cire chaude, et le flamboiement des torches, je suis bien. Je suis arrivée. J'ai traversé le dreyt nien. Je suis dans le sanctuaire. J'aimerais y dormir... mais ça ne doit pas être permis. Et puis, si je m'en vais, je serai si heureuse de revenir. Alors, quand les torches furent très basses et d'un rouge sombre, quand Perle et Mansour se retirèrent, je m'en allai aussi mais, avant de suivre les soldats qui m'escorteraient jusqu'à ma chambre, j'embrassai la fleur délicate d'une céramique sur une colonne et je lui dis :

« A demain! »

Pendant trois jours je vécus au cœur de l'image.

Perle venait s'installer sur les coussins pendant que je travaillais et elle me racontait sa vie. Des morceaux de sa vie. L'Australie. Un passage à Hollywood. Un film en Suède. Elle me dit le jour où, brusquement, elle n'avait plus eu envie de « faire l'actrice ».

– Une phrase du Coran me harcelait, dit-elle : « Nul ne me sauvera de Dieu. »

Alors elle se mit à copier la Loi.

J'écoutais tout cela et j'attendais toujours qu'elle prononce le nom de Myrîam.

Enfin elle m'en parla. Pour me dire que sa naissance avait été précédée d'une période étrange. Elle avait vécu seule, isolée, dans un village d'Écosse proche du Loch Katrine. Pluie, bruyères, longues marches, méditations. Du père de l'enfant, il ne fut jamais question, elle me dit seulement :

– Je te raconterai tout, mais pas ici.

Nous n'étions jamais seules. Comme à la Comédie-Française, des gardes immobiles veillaient sur nous dans la profondeur du décor. Un vieux bédouin accroupi devant un brasero et une petite table couverte d'épices et d'aromates ne nous quittait pas. Il souriait sans cesse et nous fabriquait à longueur de journées d'étranges nourritures toujours délicieuses, sucrées, salées, fortes ou suaves. J'évitais soigneusement de demander la recette. Savoir que c'était de la moelle de chevreau en salade ou de la rate d'agneau farcie n'ajoutait rien au plaisir.

Un jour où il s'était éloigné pour aller cueillir de la menthe dans les jardins du Harem, je profitai de ce rare moment d'intimité pour demander à Perle ce que devenait sa mère.

— Nous sommes fâchées pour toujours et c'est très bien, dit-elle brièvement.

— Et comment a-t-elle réagi à tout ça?

— Tout ça?

— Ta fille? Mansour?

— Mais elle ne sait rien! s'écria-t-elle. Dieu merci! Elle ne sait rien et elle ne doit rien savoir. Je ne veux pas qu'elle touche à Myrîam. C'est une des raisons pour lesquelles je fais la mystérieuse. J'ai peur d'elle. Et tu sais pourquoi? Elle est salissante.

Le bédouin revenait, froissant des touffes vertes dans ses mains brunes. Il nous en donna quelques brins au passage et se mit à confectionner une pâte mystérieuse en souriant.

Perle souriait aussi mais je la sentais toujours en alerte quand nous étions seules. Se défiait-elle du vieux bédouin? Des gardes? Des servantes silencieuses? Se sentait-elle surveillée? Elle n'était vraiment sereine que quand Mansour était présent. Je lui avais demandé comment elle s'entendait avec la princesse Yusra et j'avais appris avec stupeur que l'étiquette leur interdisait de se rencontrer.

— Elle m'envoie des gâteaux. Je lui fais porter des parfums. A la moindre migraine j'ai la visite de son médecin. Nous échangeons des bénédictions... mais nous ne nous voyons jamais. C'est dommage, ajouta-t-elle, car je crois que nous nous aimons bien.

Un jour, elle m'apporta un album.

– Des photos de films, dit-elle.

Au milieu des photos de films, elle avait glissé la saga de Myrîam.

– Ne dis rien, murmura-t-elle en me les désignant.

Myrîam. Bébé. Petite fille qui apprend à marcher. Petite fille qui marche. Petite fille qui rit. Petite fille qui court.

J'avais beaucoup de mal à rester impassible. J'avais envie d'applaudir.

Myrîam dans les bras de sa maman. Myrîam avec sa classe autour d'une jeune maîtresse souriante. Un univers sans hommes. Délibérément.

Que de questions sous mon silence...

– Dans un mois ou deux, je serai en Europe, tu sauras tout et même...

– Même?

– Tu verras, dit-elle.

Nous avions beaucoup de projets. Castor et Pollux viendraient visiter Catusseau et le laboratoire, première étape de Constance vers la royale réception qui serait le couronnement de sa carrière et nous vaudrait peut-être le retour de la livrée et des perruques poudrées à l'office. Quand je pensais à la stupéfaction de Turcla et de sa famille lorsque je révélerais ma découverte, je riais toute seule.

Mansour me demanda ce que son bisaïeul avait demandé à celui de Turcla : une photo de sa bien-aimée au milieu du Harem. Il retrouva la plupart des bijoux que la reine avait portés; vêtue comme elle, parée comme elle, Perle posa à côté du jet d'eau et cent ans furent abolis.

Je partais le lendemain. Je pensais rester jusqu'au dernier moment dans le Harem quand une nouvelle surréaliste se répandit à travers le Palais : le désert était en fleurs.

Nous survolâmes des pierres, des dunes, une gorge rouge, un néant où serpentait un oued de lauriers roses, une palmeraie, puis du sable encore, des pierres encore. Le désert.

L'hélicoptère que pilotait Mansour volait très bas, escorté par deux appareils transportant la garde. Puis il prit de la hauteur et, d'un bout de l'horizon à l'autre, il n'y eut plus que la solitude.

– M. Dubois, le professeur de Lettres que nous avons eu, Perle et moi, à dix ans d'écart, aimait citer Renan : « Le désert est monothéiste. » Il me disait : « Mansour, parlez du désert à vos camarades », et je restais coi. Jusqu'au jour, c'était en première, où j'ai eu l'idée de réciter des passages du Coran...

Lorsque le ciel se fendra

Que les étoiles seront dispersées

Que les mers confondront leurs eaux...

Lorsque les montagnes seront éparpillées comme la poussière et voleront comme des flocons de laine...

Personne ne parlait un mot d'arabe dans la classe, mais tous écoutaient et, quand j'ai voulu traduire, M. Dubois m'a dit : « Inutile, Mansour, nous avons entendu la musique de l'Orient. » Oh! regardez, les tentes!

Des bédouins avaient jeté l'ancre au bord d'une flaque violette. Une flaque de fleurs.

Les minuscules lys violets me firent penser aux courageuses petites fleurs du Spitzberg qui nous avaient servi de couche nuptiale. Dans trois jours, les lys seraient fanés. Dans moins d'une semaine, il ne resterait que des pierres et, de loin en loin, une armoise à l'odeur pharaonique de miel et de camphre.

L'hélicoptère s'était posé au milieu d'une plate-forme de terre battue. Fusils tendus au bout des bras levés, les bédouins en robes blanches saluaient leur roi. Leurs femmes, en robes rouges, jaunes, vertes, mauves et orangées, couvertes de bijoux, les mains écrites de henné, criaient leur joie avec eux.

Ils étaient décapés par le vent et la sécheresse du

désert avait laissé sur les plus vieux les belles rides de sable de ceux qui marchent sans jamais s'arrêter. Auprès d'un grand brasier, sous une tente en peau de chèvre, nous avons mangé, de la main droite et sans couverts, le mouton et les pois chiches, le pain plat et le fromage aigre, les gâteaux de pâte d'amande piqués de sésame et de pignons. Heureusement, mon vin n'avait pas suivi. Devant les bédouins, je n'aurais pas pu en boire une goutte. Puis, l'une suivant l'autre, les femmes se mirent à danser. Leurs longs cheveux dénoués passaient à travers les flammes comme des serpents volant dans la nuit, leurs bijoux s'entrechoquaient comme des armes, parfois un cheval hennissait, un méhari blatérait, un coup de feu partait vers les étoiles et cela faisait partie de la symphonie du désert, célébrant les petites fleurs et la venue d'un roi.

Il devait être bien tard quand la portière de notre tente retomba sur Perle et moi. Mansour dormait avec les hommes.

Je ne fermai pas l'œil de la nuit, je ne voulais rien perdre des derniers moments passés dans le royaume. Par une ouverture dans la peau de la tente, je regardais les étoiles briller dans un ciel si velouté, si profond qu'un romantique allemand eût renoncé à le décrire... J'écoutais Perle me parler à mi-voix d'un pensionnat de jeunes filles et d'une Mme Constant que nous irions voir ensemble dès qu'elle serait en Europe. C'était important, assurait-elle. Les étoiles brillaient toujours... – comment disait-on étoile en arabe? Le campement respirait comme une personne vivante, le feu rougeoyait encore et je distinguais les gardes aux aguets, seule la masse sombre de l'hélicoptère me prouvait que nous étions aujourd'hui. Perle bougea et se redressa sur sa couche.

– Je voulais te parler d'Igor... te dire comment je me suis délivrée de lui. C'est venu tout doucement, comme une guérison à laquelle on ne croit plus. Un

jour, j'ai cessé de l'aimer comme il ne fallait pas. Et
– ce jour-là – je me suis mise à l'aimer davantage. Tu
comprends, n'est-ce pas?

Oui.

Elle prit ma main, l'embrassa et, sans la lâcher,
s'allongea de nouveau.

Oui, Perle, je comprenais. Je savais. Comme tu
savais que je t'aurais donné Igor si cela avait pu le
ramener à la vie... mais à quoi bon faire la généreu-
se? Il y a longtemps que les dieux ont cessé ce genre
de commerce avec les humains. Je la regardais
s'enfoncer dans le sommeil, battant des paupières
comme une enfant, elle répéta :

– On ira voir Mme Constant... toutes les deux...
pour Myrîam. Tu promets?

Je promis. Elle sourit, ferma les yeux et je sentis la
pression de sa main se relâcher sur la mienne. Un
peu plus tard j'entendis :

– ... confiance en toi... puis elle s'endormit.

Je retournai aux étoiles. Elles avaient perdu de
leur éclat et, peu à peu, je les vis se dissoudre dans
un ciel de plus en plus pâle. Soudain, depuis d'invisibles coulisses, un oiseau chanta. Il chanta pour
nous prévenir de l'imminence de la création du
monde et fut bientôt relayé par « l'inégalable proféra-
tion de la prière ». Perdu au milieu des siens, les
pieds nus, la tête couverte, les mains ouvertes sur
les genoux, Mansour se prosternait vers La Mekke.

Perle dormait encore, une main sur le petit Coran
d'or, sur le tabernacle de l'Étoile et de la Croix
comme si on voulait les lui arracher.

Depuis le désert, ils me déposèrent à l'aéroport.
Nous étions émus de nous séparer mais pas tristes
puisque nous allions nous revoir bientôt.

– Tu as promis, ne l'oublie pas! dit Perle en
m'embrassant.

Mansour ne disait rien, il gardait mes mains entre

les siennes, il semblait avoir de la peine à parler puis il murmura :

– Igor...

C'était suffisant, je m'en allai vers l'avion, alors il me retint et ajouta la seule phrase en anglais que je l'entendis prononcer de tout mon séjour :

– He was us.

C'est à l'escale de Francfort, en changeant d'avion pour la deuxième fois, que j'ai su pour Maxou.

La dépêche venait de tomber à l'instant et courait sur un écran intérieur pendant que je faisais la queue avant l'embarquement pour Paris.

« Le photographe français Maximilien Leblond a été enlevé il y a une heure à l'aéroport de Beyrouth par un commando non identifié. »

Je suis allée directement de Roissy chez eux avec tous mes bagages. Pas besoin de sonner, la porte était ouverte, la maison pleine de monde.

Les trois enfants étaient assis sur le canapé, en pyjama, pieds nus. Les aînés tenaient le petit par le cou. Ils regardaient les grandes personnes en silence.

Le patron de l'agence était au téléphone, Samantha près de lui, les doigts crispés sur l'écouteur. Quelqu'un passait un plateau et proposait du café que tout le monde refusait. Une dame que je ne connaissais pas et qui avait l'air d'une fourmi m'a pris la main :

— Ça va faire du bien à Josette de vous voir!

J'ai compris que Josette c'était Samantha et que la fourmi était sa mère.

Je regardais les enfants et je pensais à la merveilleuse journée que nous avions passée avec eux à la fermette, Igor et moi.

« T'es plus fort que la guerre, bouleau de fer? »

Eh bien, non, tu vois, Emmanuel, c'est la guerre qui est la plus forte.

Je me suis agenouillée devant eux, j'ai dit : « Bonsoir les enfants! », je les ai embrassés et le petit m'a dit en me rendant mon baiser :

– Je te connais toujours, Gabrielle.

Heureusement, Samantha a posé sa main sur mon épaule et j'ai pu me détourner et cacher mon visage dans ses cheveux.

Les gens entraient, sortaient, revenaient. « On devrait... et si on essayait? Et si on contactait Machin? Et si tu demandais à...? » Le désarroi.

Sa mère voulait emmener les enfants et Samantha disait non, farouche. Les ex arrivèrent et proposèrent aussi d'emmener les enfants et Samantha disait non, de plus en plus farouche, et je comprenais à quel point il lui était impossible de se priver de cette chaleur, de ces petits bras autour du cou, de cette présence qui faisait croire que c'était un soir comme les autres, que papa allait rentrer.

Mais ce n'était pas un soir comme les autres. C'était un soir horrible.

Images de Maxou en accéléré dans ma tête... l'avion de la guerre des Six Jours, les Yorkshire jappant autour de lui, Maxou perdant un objectif, sa carte d'embarquement, son laissez-passer, son billet, son passeport, son pantalon... Maxou me jetant par terre à Beyrouth pour m'empêcher de courir vers la mort, Maxou chantant un cantique comme un enfant le jour de leur mariage, Maxou chancelant et blême dans le cimetière de Pauillac...

Tout le monde avait des larmes, visibles ou pas. Tout le monde commençait à comprendre. La nouvelle guerre était déclarée. Celle où il n'y a pas d'arrière. Celle où l'on est tous sur le front. Avec les enfants en première ligne parce que ça fait plus mal.

C'était fini « avant » comme disait le copain en tablier à carreaux.

Et, ce soir-là, Samantha a commencé d'être ce qu'elle n'a cessé d'être depuis. Magnifique.

Quelqu'un a dit :

– Mais, merde! Personne ne l'a prévenu qu'il ne devait pas y retourner?

Elle ne s'est pas fâchée, elle a pris tout son temps, elle est allée à son secrétaire, elle l'a ouvert et en a sorti un morceau de journal taché et déchiré.

– Je voudrais vous montrer quelque chose, a-t-elle dit. Quelque chose que Maximilien m'a donné hier soir pour m'expliquer les raisons de son départ. Il est retourné à Beyrouth parce qu'il y a là-bas des gens qu'il aime et qui parlent français. Ce journal, poursuivit-elle en nous montrant la coupure en lambeaux, ce journal, il l'a ramassé dans les ruines, au milieu des morts, le vent l'avait poussé vers lui, collé à son pied... c'est un journal libanais dont la date est arrachée mais facile à retrouver parce que, « ... aujourd'hui trentième anniversaire de la mort de Paul Éluard... ». En me le donnant, il m'a dit : « Tu vois, quand j'ai lu ça, j'ai compris qu'on ne pouvait pas les abandonner. »

Puis elle éclata en sanglots.

J'ai remis la longue blouse antique des primitifs de l'âge d'or. J'ai retrouvé le calme de l'aile du château où rien ne se passe, où personne ne va.

Je suis de retour dans le laboratoire.

Et je puis dire à tous les chers fantômes que j'y retrouve dans la lumière sourde des travaux que la boucle est bouclée, que je sais ce que veut dire le signe ... ‫ق‬, que j'ai découvert le royaume, que j'ai accompli le Grand Tour.

J'ai pénétré au sein du Harem et j'ai vu fleurir le désert, oncle Baba!

Il y a plus d'un mois que j'ai quitté Perle et son roi. Je n'ai pas pu venir ici plus tôt. Nous nous sommes tous cognés aux vitres depuis la disparition de Maxou. En vain. Il faut attendre. Sans oublier.

Je n'ai pas encore développé les photos que j'ai prises dans le sanctuaire. C'est ici que je veux le faire, là où, il y a cent ans, Nour ed-Din fixa sur papier la grande photo de l'interdit. Ce soir, au dîner, après un roulement de tambour, c'est un drôle de lapin blanc que je vais sortir de mon chapeau! La photo de Perle faisant pendant à celle de la jeune reine au visage offert dans une absolue nudité...

Je m'assieds sur le petit lit de Savorgnan de Brazza et je regarde autour de moi en attendant la révélation.

Comme tu avais bien compris l'Orient, photographe... un bédouin de Mansour serait entré avec un verre de thé ou une tasse de café à la cardamome à la main sans jurer dans le décor. Ton Coran est toujours là, Lumière de la Foi, toujours aussi beau aussi hermétique, avec son signet vert sur ta sourate.

Nour.

Je n'ai pas fait de progrès. Je ne sais rien déchiffrer. Je ne reconnais que l'invocation :

Soudain, je m'aperçois qu'il est l'heure des informations. Depuis l'enlèvement de Maxou, je me suis mise à écouter régulièrement les nouvelles. Je saute d'un journal à un flash... espérant toujours.

« ... un massacre sans précédent... » dit la radio. Ma main est posée sur le nom de Dieu, le clément, le miséricordieux... « ... un spectacle d'horreur... ».

Avant même d'entendre la suite, je sais. Sans doute ai-je su depuis le début, depuis le premier soir à ... ق.

Massacrés. Mansour. Perle. Yusra. La garde. Les bédouins. Les serviteurs. Massacrés. Mais Perle et Mansour avaient eu un traitement royal.

Égorgés. La gorge tranchée. La tête coupée. Le sang, le sang, le sang, disait une voix horrifiée. Et une autre voix, horrifiée, reprenait et disait qu'au même moment, à Londres, le prince héritier Abd er-Rahman était victime d'un attentat alors qu'il se rendait au Lycée français avec le fils de Lord Buckland. Le jeune Buckland avait été tué sur le coup. « Le prince a succombé pendant son transfert à l'hôpital... »

Ma main était toujours sur l'invocation. Mécanique bloquée. Je me disais : « Où est la douleur ? » Je me demandais : « Où sont les larmes ? » Je discutais avec Dieu. Je lui demandais son aide puisqu'il était le Clément et le Miséricordieux. D'abord de faire clouer les volets intérieurs. Il suffisait d'appeler un petit valet. Il fallait fermer la chambre funéraire. Allons-nous-en...

J'ai tout rangé. J'ai remis le Coran par terre, doucement, derrière le lit, là où je l'avais trouvé au temps des grandes espérances.

Puis je suis entrée dans le laboratoire pour finir le travail commencé.

J'ai sorti du bain une image magnifique.

Perle, rayonnante, couverte de pierreries, la main peinte de henné, souriante.

J'aurais voulu que l'ancêtre aveugle la voie, j'aurais voulu lui prêter mes yeux, j'aurais voulu lui dire :

« Regardez, la jeune reine est toujours aussi belle. Regardez! Le jet d'eau s'élance encore vers une impossible liberté. Regardez! Moi aussi j'écris avec la lumière. »

Mais avons-nous besoin de lumière avec tous ces morts à veiller?

Je suis partie, la photo encore molle serrée contre mon cœur.

Le nouveau majordome de Constance, celui qui a l'air de sortir du Quai, a marqué un vif étonnement en me voyant aller vers ma moto.

– Madame se souvient du dîner de ce soir? Nous attendons monsieur l'ambassadeur des États-Unis...

J'ai hoché la tête. Pas pu parler.

Ils allaient très vite comprendre.

J'ai enfourché la Kawasaki et démarré comme si les démons me poursuivaient.

J'ai foncé de mémoire, les dents serrées, grinçantes. Folle. Dangereuse.

J'ai commencé à gémir quand j'ai roulé dans nos vignes, à pleurer quand j'ai vu la maison.

Karl rentrait des sarments pour le feu. De la terrasse il m'a vue lâcher la moto et il a tout lâché lui aussi. J'ai couru vers lui, jetant mon casque derrière moi et il a ouvert les bras :

– Was ist das, Kätzchen?

Je m'accroche au corps fragile de ce vieil homme qui me porta dans ses bras lorsque j'étais petite. Je claque des dents. Je suffoque. Il m'entraîne jusqu'aux marches où je m'écroule, il me serre contre lui. J'appelle au secours comme un enfant tombé. Je dis : égorgés! Je tends les mains vers la marée verte, vers mes racines, vers la terre et je hurle.

A la mort.

Alors, tu es venue.

De très loin. De l'impossible. De l'autre rive de la douleur.

Tu as émergé doucement de l'horreur dans laquelle je me suis débattue pendant des jours et des jours et dont je ne garde aucun souvenir.

Égorgés! Turcla penchée sur moi parce que j'ai crié au milieu de la nuit? Karl me faisant faire quelques pas dans le jardin comme à une vieille? « Regarde, Kätzchen, le beau soleil! » J'ai dû vivre ça puisqu'ils me l'ont dit. Les premiers jours, dès que je fermais les yeux, j'imaginais la gorge tranchée de Perle et je me mettais à hurler. Égorgés! Je parlais seule du paradis d'Allah, des martyrs, du cimeterre qui fait voler les têtes... puis je suis devenue une grande fille molle et docile. De ces demi-folles au regard doux qui s'en vont sans savoir où en oubliant d'attacher leurs bas. Pas méchante. Absente. J'enlève les fils des haricots verts, j'aime moudre le café, ramasser les miettes sur la table, les jeter dehors pour les oiseaux. Je bois du sirop dans de l'eau, je mange du riz au lait, des semoules, des compotes de fruits. On me cache la viande car je hurle à la vue du sang. Un jour je rentrerai dans le gros ventre de Mercadier à Podensac et je m'en irai...

Souveraine est venue me voir.

– Tu es contente?

Je suis contente.

– C'est ma nièce qui m'a conduite en voiture, Marinette! Tu la reconnais bien, Marinette?

Je disais oui. Je ne la reconnaissais pas du tout mais j'étais contente.

– Tu te souviens que son mari et elle nous ont repris la boulangerie?

Je disais oui. L'esprit ailleurs, souriante.

– Jules t'envoie du bon pain qu'il a fait pour toi comme autrefois. Il est tout chaud. Tu es contente?

Je disais oui, merci beaucoup, je suis contente.

Nous nous étions assis sur la terrasse, Karl avait sorti des chaises, à cause de Marinette.

Je m'étais assise sur une chaise comme tout le monde, à cause de Marinette.

Je ne savais pas pourquoi on ne s'était pas assis sur les marches comme d'habitude, quand Souveraine a dit:

– Elle ne peut pas s'asseoir sur les marches, Marinette, parce qu'elle est enceinte!

Ce mot déchira quelque chose dans ma tête. Il y eut l'immense douleur du retour à la vie. Réalité. Je regardais Marinette et je la vis. Une jolie jeune femme qui me souriait, assise sur sa chaise, son ventre rond tendant les fleurettes de sa robe. Tissu liberty. Mémoire. Je me suis levée. Je suis allée vers elle. Je me suis mise à genoux. Il s'était fait un grand silence. J'ai posé doucement mes mains sur sa robe tendue. Je voyais ses yeux devenir humides. Compassion. J'ai senti bouger quelque chose de mystérieux sous mes doigts.

Quelque chose de vivant.

Perle était morte mais elle aussi avait porté cette espérance dans son ventre, cette chose mystérieuse qui avait bougé dans les ténèbres en disant son désir de connaître la lumière et les larmes. Alors comme des oiseaux regagnant leur abri, tous les mots sont revenus dans ma tête à tire-d'aile et j'ai su que moi aussi j'avais un enfant.

Quand nous sommes venues ici ensemble, toi et moi, il y a maintenant plus d'un mois, je te regardais, muette et raide, fixer la mer en te tenant d'une main au bastingage, l'autre serrant Perceval contre ton cœur. Autour de nous, rituellement, des gens étaient malades avec lyrisme. Tu restais impassible, typically british comme ta mère. Seule la petite larme d'or agitée par les creux de la mer semblait sensible aux mouvements du bateau.

Depuis six jours que je t'avais prise avec moi, je n'avais pas encore entendu le son de ta voix.

Mais j'avais eu de la chance. Je t'avais trouvée.

Avec si peu d'indices : une pension en Europe. Une photo de petite fille avec de jolis uniformes autour d'une jeune maîtresse souriante. Et le nom de Mme Constant.

– Mme Constant, m'avait dit Jean, ce doit être en Suisse.

J'étais partie pour Genève, en voiture, et j'avais visité des établissements pleins de petites filles abandonnées, milliardaires et lustrées comme des Rolls. Je n'osais ni écrire ni téléphoner, je ne savais pas où tu étais, sous quel nom et si ça risquait d'être dangereux pour toi qu'on ait l'air de te rechercher.

Le troisième jour, au-dessus de Morges, dans une pension en or massif, comme je sortais de ma voiture j'ai croisé dans le parc une jeune femme souriante. Je la regardais si fixement qu'elle s'arrêta.

J'étais sûre d'avoir devant moi la jeune maîtresse de la classe que j'avais vue dans le Harem. Je murmurai Myrîam, comme on dit au secours avant de couler à pic, et elle vint vers moi :

– Ça va, madame?

Elle me prit par la main et me mena à un banc où elle me fit asseoir.

– Qui êtes-vous? me demanda-t-elle, et sa méfiance me plut.

Incapable de parler, je sortis de mon sac la photo où nous étions ensemble, Perle et moi, sur la plage d' « Azyadé ».

La jeune femme la regarda longuement puis elle leva les yeux sur moi et sourit. Alors je lui racontai que j'avais vu Perle à … ق, qu'elle m'avait demandé de venir voir Mme Constant avec elle à son prochain séjour...

Au nom de Mme Constant, le visage de la jeune femme s'était assombri.

– Alors, vous ne savez pas? me dit-elle.

Mme Constant était morte quelques jours à peine avant les massacres de… ق.

Quant à la petite fille, tout s'était passé aussi mal que possible.

– Quelqu'un a dû lui montrer des photos, tout au moins lui raconter ce qui s'est passé, elle a subi un choc. Elle ne parle plus, elle mange à peine... Venez, elle est à l'infirmerie...

En y allant, elle me demanda quelles étaient mes intentions.

Mes intentions? J'étais si tendue vers toi que je croyais qu'elles étaient écrites sur mon visage!

J'ai dit : « l'adopter » et la jeune femme s'est arrêtée.

– L'adopter? Comme ça, sans la connaître?

Bien sûr, c'était déjà fait dans mon cœur, dans ma tête, rien ne pourrait me faire changer d'avis.

Nous avons traversé l'infirmerie où deux petites

filles somnolaient. Nous sommes entrées dans une autre pièce.

Et je t'ai vue pour la première fois.

C'était toi.

Tu étais assise devant une table, seule, ton chien serré contre toi, immobile, les yeux fixés sur la fenêtre. Il y avait une assiette intacte sur la table. Un verre plein. Une petite larme d'or à ton oreille droite.

– Bonjour, Myrîam, a dit la jeune femme. Vous avez une visite.

Tu as tourné très lentement la tête et tu m'as regardée.

Un sourire? Non, car un sourire éclaire un visage, mais tu t'es levée comme quelqu'un qui attend depuis longtemps qu'on vienne le chercher.

La nouvelle directrice semblait soulagée à l'idée de te voir partir. Des parents d'élèves, me dit-elle, avaient fait le rapprochement entre toi et « les événements » et ils avaient trouvé ça « regrettable ». Ta pension, ajouta-t-elle, n'avait été réglée que jusqu'à la fin du dernier trimestre, il y avait une petite note de blanchisserie et des fournitures de dessin... « peu de chose, madame, désirez-vous vous en acquitter par chèque ou en liquide? ».

Elle glissa mon chèque dans un tiroir de son bureau ministre en me disant que, malheureusement, l'enfant étant orpheline et sujet britannique, elle ne pouvait me la confier qu'avec une autorisation du consul d'Angleterre à Genève.

– Revenez donc la prendre demain, chère madame.

Je suis retournée à l'infirmerie. Tu étais prête. Habillée.

Je me suis mise à genoux devant toi et je t'ai juré que je viendrais te chercher le lendemain. J'essayais de t'expliquer que je n'avais pas encore le droit de t'emmener. Papiers. Légalité. Formalités. Ces mots de grandes personnes butaient contre tes yeux tristes. Je suis partie en courant, désespérée, te laissant avec ton petit manteau bleu boutonné, ton béret, tes gants, ton chien.

La jeune maîtresse m'attendait devant ma voiture avec un homme âgé, le médecin de l'établissement. Ils me proposèrent de venir avec moi chez le consul. Sans eux, je crois que je le chercherais encore. Il n'était pas chez lui. Au golf, nous dit-on. Il en était déjà reparti. Quelle course! Je leur demandai :

– C'est pour Myrîam que vous faites tout cela? Et le vieux docteur me dit :

– Myrîam est une fête.

Mais si fragile, si brisée déjà par la vie. Ils parlaient de toi comme d'une grande personne qui avait beaucoup souffert. A huit jours près, je te manquais, tu étais prise en charge par la Church Adoption Society in London...

Quand j'ai dit que je voulais t'emmener dans une petite île grecque pour essayer de te rendre le goût de vivre et de rire, le docteur a sorti son stylo et fait un certificat qui te confiait à moi pour trois mois.

J'ai pris le certificat entre mes mains.

– Je suis une inconnue... ai-je dit, et le vieux docteur a ri.

– Mais non, madame! Mme Constant m'a parlé de vous quelques jours avant sa mort. Elle m'a même lu une lettre qu'elle venait de recevoir où Mlle Vanilo lui annonçait votre venue à toutes les deux et elle m'a dit : « Quel soulagement de savoir que si quelque chose arrive à sa mère, Myrîam ne sera pas seule au monde. » Malheureusement, je ne me suis souvenu que de votre prénom, Gabrielle, parce que c'est celui de ma femme. Si j'avais retenu votre nom, nous vous aurions prévenue depuis longtemps.

Cette lettre, cette lettre de Perle, pouvait-on la retrouver dans les papiers de Mme Constant? Cela leur paraissait difficile. L'unique héritière de Mme Constant, sa sœur, vivait à Christ Church, en

Nouvelle-Zélande. Elle était nurse et, depuis des années, s'occupait d'une vieille dame impotente et fortunée, Mme Rottach. Elle n'avait pas pu venir pour les obsèques de sa sœur, plus tard, peut-être...

Je t'ai volée le soir même à 21 h 12 exactement.

L'énorme spadassin vaudois retraité qui faisait office de sœur tourière tenta de s'opposer à mon entrée, mais il ne faisait pas le poids, il alla chercher la directrice qui me mena à l'infirmerie.

Tu étais déjà couchée et, quand tu m'as vue entrer, que je t'ai dit « On s'en va », tu m'as fait ton premier sourire.

Six jours plus tard nous arrivions en vue de Phos.

– Regarde, là-haut, c'est notre maison!

J'ai cru que tu allais dire quelque chose car tu t'es penchée vers le chien et tu lui as montré la maison.

Mais tu n'as pas parlé.

Et ça a continué. Sage, docile, gentille. Muette.

– Tu veux quelque chose?

Elle fait non de la tête.

– Tu vas bien?

Elle fait oui.

– Tu ne veux pas me parler?

Elle baisse les yeux. Je n'ose insister.

Elle m'aide à mettre le couvert, elle fait la vaisselle avec moi, elle me suit dans la montagne jusqu'à la source qu'elle n'a pas encore baptisée. Elle est douce. Elle me sourit quand mon regard inquiet se pose sur elle. Je ne sais comment percer cette bulle de silence qui la retranche du monde. Je parle... Je parle... Je m'arrête. Je dois l'assommer! Mais se taire est angoissant.

– Tu veux venir avec moi au village?

Elle fait oui.

Nous descendons le chemin des figuiers et des

arbres de Judée. Théodora nous embrasse, lui sert un soda. Myrîam sourit. Théodora me dit quelque chose de sombre. J'ai envie de pleurer entre cette enfant qui se tait et cette femme que je ne comprends pas.

Théodore rentre avec des poissons. Des poissons frais pêchés qui s'agitent encore.

— Tu aimes le poisson?

Elle fait oui. Puis sa bouche frémit et elle détourne la tête du panier de poissons, aussi vulnérable que sa mère devant la douleur de toute créature. Le jour de son anniversaire, je veux lui faire la surprise d'une petite fête.

— Ça t'ennuierait d'aller chercher de l'eau à la source?

Elle fait signe que non et prend la cruche.

Je regarde la silhouette menue monter à travers les pierres. Même quand elle marche, elle est triste. Vite, vite, je jette une nappe sur la table, je mets le couvert, je place un bouquet devant son assiette et les cadeaux que j'ai pu trouver chez Théodora. Pas terribles, mes cadeaux : un bol avec ΦΟΣ écrit dessus, une boîte de loukoums à la rose et, dans un beau papier, « les Filles de la Mer Intérieure » que j'ai dédicacées « à la plus belle petite étoile de la mer grecque ».

Elle n'a rien vu jusqu'au moment de s'asseoir. Elle m'a regardée. J'ai dit :

— Bon anniversaire, Myrîam! Sept ans, c'est formidable!

Elle a tendu les mains vers ses cadeaux, elle a commencé à défaire un paquet... puis elle s'est arrêtée et, sans bruit, sans bouger, elle s'est mise à pleurer. Je me suis précipitée, je l'ai prise dans mes bras, si légère, flottant comme un grain de pollen secoué de sanglots. Contre mon cœur mais hors d'atteinte.

Mon Dieu, quel était le chemin qui permettrait de t'atteindre?

J'avais compté sans la force formidable de l'enfance. Deux jours plus tard, au moment du petit déjeuner, j'étalais du miel sur une tartine quand je vis qu'une des chèvres de Clytemnestre s'était séparée du troupeau pour revenir grappiller la treille. Dressée sur les pattes de derrière, les antérieurs posés sur le muret comme une voisine qui vient faire un bout de causette, elle nous regardait, perplexe et coquine.

Un éclat de rire.

Une petite voix.

– Qu'est-ce qu'elle est drôle!

La voix de Myrîam aura toujours pour moi le goût du miel que je léchais à cet instant même sur ma cuillère.

Je n'osais bouger, je n'osais parler, le moindre geste, le moindre son risquait de la renvoyer à son silence.

La chèvre la regardait, la tête maintenant penchée vers la tartine que Myrîam tenait dans sa main.

– Je peux lui donner du pain?

– Bien sûr, dis-je, le souffle coupé. Mais pose-le sur le mur pour qu'elle ne te morde pas.

– Oh! regarde, elle aime beaucoup le pain! Ça mange de tout, les chèvres?

– Peut-être pas des sardines à l'huile...

Second rire de Myrîam.

– Des sardines à l'huile! Oh! est-ce que je pourrais en avoir? J'ADORE les sardines à l'huile!

– Si tu veux, nous irons en acheter tout à l'heure chez Théodora.

– Merci! Merci! Merci, Gabrielle! Tu es vraiment gentille! Et même avec de la tomate?

– Je suis gentille même avec de la tomate?

Troisième rire de Myrîam.

Elle me prend par le cou, elle me regarde comme on regarde quelqu'un qu'on aime, la petite larme

d'or bouge à son oreille et elle m'explique – pour
que je ne meure pas idiote – que je suis gentille avec
ou sans tomate et que les sardines, elle les aime à
l'huile et à la tomate aussi.

– On pourra acheter une boîte de chaque?
– Deux boîtes, trois boîtes, quatre boîtes...
– Deux baisers! trois baisers! quatre baisers! Mille
baisers!

Je me demandais à combien de baisers j'allais
éclater en sanglots, heureusement la chèvre qui
finissait son pain avec des raisins verts perdit l'équilibre et disparut derrière le mur dans un bruit
d'Apocalypse qui créa une diversion et je pus baigner mes yeux, me moucher, attraper des lunettes
noires pendant que Myrîam, une branche de laurier
à la main, la remettait sur le droit chemin en
reproduisant de façon stupéfiante les cris que Clytemnestre pousse pour commander à son troupeau.

– J'aime énormément les chèvres, dit-elle grave-
ment en me rejoignant.
– Les chèvres, les sardines, les tomates...
– Et Gabrielle!

De nouveau, les petits bras autour du cou, les gros
bisous... j'ai envie de chanter. Et on chante. « La
Marseillaise », « God Save the Queen » et « Because,
because, because »! Puis on se prépare pour aller
pêcher la sardine en boîte et Théodora faillit perdre
sa belle rudesse quand la petite, entrant dans sa
boutique, cria à la compagnie :
– Kalimera!

Le beau jour!
Oui, le beau jour où ma petite muette devint ma
petite bavarde. Comme elle avait dû souffrir dans
son silence! Elle parlait, parlait de tout, de rien,
comme un bébé, comme une grande personne,
mêlant les uns aux autres les mots d'anglais, d'allemand, d'italien que sa maman lui avait appris.

Chaque jour elle faisait des progrès en grec, elle était devenue mon interprète dans l'île.

Au lever du soleil, elle venait me rejoindre dans mon lit, Perceval sous le bras, on s'embrassait tous les trois.

Kalimera!

On regardait la mer, de plus en plus belle, on comptait les bateaux, et la première qui voyait un yacht avait gagné. Une fois, elle me monta le petit déjeuner en m'avouant qu'elle avait brûlé trois tartines et cassé un pot de confitures. J'ai dit : « C'est la vie! » et elle m'a demandé :

– Ta maman à toi t'aurait grondée?

– Je ne sais pas.

– Tu ne sais pas!

Je lui expliquai que ma maman était morte quand j'avais trois ans.

– Tu te souviens de rien d'elle?

– Si. D'un manteau vert qu'elle portait...

– C'est tout?

– Je crois...

Elle resta un moment immobile puis elle se serra contre moi avant de crier en bondissant du lit :

– J'ai gagné! J'ai gagné! Un yacht! The Union Jack!

Une autre fois elle me demanda :

– T'es quoi, toi, comme religion?

– Rien.

– On peut être rien???

– Bien sûr! Et toi, qu'est-ce que tu es?

– Moi? Je suis tout! Mais alors, si t'es rien, à qui tu la fais ta prière, sur ta photo?

– A Igor.

– C'était ton mari?

– Oui.

Cette prière conjugale parut l'enchanter. Elle sourit.

– Je crois que je l'ai vu, Igor, quand j'étais petite... très beau...

278

– Très beau.

– Mais je me souviens pas bien...

– Et Mansour, tu l'as vu?

– Oh! Oui! On faisait les sports d'hiver ensemble! Maman m'avait dit de ne jamais dire que c'était un roi. Je l'ai jamais dit. Mais les filles l'ont su, quand...

Elle pleure mais cette fois elle cherche le refuge de mes bras. Je la berce pour chasser toute cette horreur qu'elle n'oubliera jamais mais avec laquelle elle apprendra à vivre, feu jamais éteint qui peu à peu deviendra – habitude – sa propre combustion, sa chaleur.

Je lui avais demandé pourquoi elle m'avait suivie si facilement le jour où j'étais venue la chercher à Morges.

– Je t'avais reconnue.

– Mais tu ne m'avais jamais vue!

– Je t'avais reconnue, répéta-t-elle. Maman m'avait dit que tu viendrais.

Et la vie fut de miel, jour après jour, dans l'île qu'Igor avait préparée pour nous donner l'une à l'autre. Je lui racontais tous ceux qui m'aimaient et qui allaient l'aimer, elle me racontait qu'elle avait voulu être chien d'avalanche quand elle était petite, je lui appris les noms des dieux de la Grèce antique et, quand elle sut que plus personne ne les invoquait, elle voulut leur prouver que, sur terre où tout le monde les avait oubliés, Myriam, Gabrielle et Perceval pensaient encore à eux.

– Je peux dire aussi Clytemnestre et ses chèvres? me demanda-t-elle à voix basse avant de baptiser la source.

Source des dieux...

En descendant vers la maison, elle prit ma main :

– Tu vas me garder avec toi, Gabrielle?

– Bien sûr.

– Toujours?

– Toujours.

J'ai dit toujours. Je le croyais.

J'ai dit toujours puis j'ai couru vers la maison où le téléphone sonnait.

C'était Jean.

Il venait de recevoir la convocation à l'audience, ce qui était normal. Mais ce qui l'était moins, c'était que la mère de Perle s'opposait à ma demande d'adoption. Il avait bien fallu la prévenir, elle était la seule famille de Myrîam. Elle la réclamait. C'était son droit. La seule chose qui aurait pu me sauver aurait été une volonté écrite de Perle.

Sur la terrasse, je voyais la petite qui mettait le couvert. Elle était toute dorée de soleil, elle chantonnait « Because, because, because »...

Je pensais aux paroles de Perle :

« Je ne veux pas que ma mère touche à Myrîam. J'ai peur d'elle. Elle est salissante. »

– Dis-moi tout, Jean!

Ce silence qui me glace le sang. Puis il a dit :

– Je l'ai vue. Si elle vient à l'audience, nous avons une chance.

– A ce point-là?

– Oui. Autre espoir : elle est persuadée qu'il y a de l'argent. La petite importe peu. Elle n'a même pas demandé à la voir. Mais par contre, elle fait faire des recherches pour savoir s'il y a un compte. Tu comprends, quand elle a su que sa fille vivait avec un roi, elle s'est vue riche.

– Sait-on si Myrîam est la fille de Mansour?

– Non. Née de père inconnu. On ne saura jamais. Sauf si Perle a laissé des papiers. A cette Mme Constant, peut-être?

A cette Mme Constant qui s'en est allée rejoindre au royaume des morts tous ceux qui auraient pu témoigner pour moi...

– Gabrielle? Jean s'inquiète. Gabrielle? Tu ne perds pas courage? Souviens-toi de la promesse que je t'ai faite, il y a longtemps. Tu n'as pas oublié?

Le petit bois de pins, un baiser à l'orée de la vie, un jour je te donnerai un bel enfant...

Je n'ai pas oublié.

– Je pars ce soir pour la Suisse, il faut que je revoie ce docteur qui t'a aidée...

– Est-ce que je dois rentrer?

– Non, tu n'es pas convoquée. L'enfant non plus. Ne lui dis rien. Reste à Phos. Aie confiance!

Il y a dix jours de ça. Dix jours où le cauchemar s'est développé dans ma tête comme une larve monstrueuse.

– T'as pas faim, Gabrielle? demande Myrîam, reprenant les mots qui furent les miens en arrivant ici.

J'ai honte. Honte d'avoir cru que c'était gagné. Honte d'avoir manqué d'imagination. Honte de lui avoir dit *toujours* avant d'en avoir le droit. L'adversité, je connais, je peux vivre avec, mais l'adversité à travers elle, je refuse. Que va-t-elle devenir si on nous déchire l'une de l'autre? Alors, parfois, j'ai envie de la voler. De la cacher dans une île encore plus ignorée, encore plus perdue que Phos, de l'emmener en Argentine, de demander son aide à Leïla, de changer de nom, de disparaître... mais on ne peut pas infliger cette cavale à un enfant! Ah! je voudrais qu'on me passe au détecteur d'amour! Et elle aussi! Car nous ne pourrons pas vivre l'une sans l'autre maintenant que nous avons appris à partager les jours. J'aurais dû rentrer. J'aurais dû aller à l'audience, les supplier...

Tous les jours, Turcla me téléphone. Courage, dit-elle, Jean s'occupe de toi, confiance.

Lui n'appelle plus. Bien sûr, j'ai confiance. Mais j'ai peur. Et, aujourd'hui, Turcla ne répond pas. Plus personne.

Quelle heure est-il? Je n'ose pas regarder. Je n'ose pas savoir. J'ai peur. J'ai froid. Mes jambes tremblent. Je tremble. J'ai froid. Je voudrais qu'on me passe des bottes de feutre comme aux femmes qui attendent la délivrance. Igor, pourquoi m'as-tu laissée seule? Ah! Que j'ai mal! Oui, j'aurais dû y aller... me mettre à genoux, parler, tout dire, il n'y a pas une mère au monde qui ne m'aurait pas prise en pitié...

Il y a eu un profond mouvement dans la maison.

Comme avant un tremblement de terre. Un souffle. Un ébranlement. Une annonciation. Et la pendule de cèdre, la pendule sans aiguilles, le minaret aux chiffres indiens a poussé un soupir. Un seul.

Je suis restée devant elle, guettant d'autres signes. Mais elle était rentrée dans le silence. Pour toujours, peut-être.

Le silence.

C'est alors que le téléphone a sonné.

C'est l'heure ignorée, l'heure où la fleur de nuit se referme avant le réveil des oiseaux, l'heure où les humains dorment encore...

Moi je n'ai pas dormi. Je ne dormirai pas. Je n'ai pas sommeil. Je veille.

Sur ma fille.

Jean a tenu parole. Il est allé, le petit garçon des sacs de farine et du bois de pins, il est allé jusqu'à Christ Church chercher la sœur de Mme Constant, il lui a raconté mon histoire et elle l'a suivi, et, à Morges, elle a retrouvé la lettre de Perle à sa sœur et, cette lettre, elle l'a lue à l'audience.

« S'il m'arrive malheur, je désire que ma fille devienne celle de mon amie Gabrielle. »

Tu me l'as donnée, Perle.

C'est de ta main que je reçois le fruit de cette étrange union qui fut la nôtre.

Igor est-il ton père, Myrîam? Peu importe, il t'aurait aimée comme sa fille. Je t'ai eue avec eux, petite sourate mystérieuse cachée dans mon cœur. Je ne saurai jamais ce qui est écrit, je ne saurai jamais qu'une chose : tu es la plus belle. L'unique.

... je signerai des carnets, j'achèterai des tenues de tennis, je dirai « non, ma chérie, tu es trop jeune, tu ne sortiras pas ce soir », je dirai « non », je dirai « oui », je dirai ce que tu voudras, tu seras une jeune fille, tu seras amoureuse, aimée, trahie, mais jamais par moi, on s'engueulera dans la cuisine, on s'embrassera dans l'escalier, on ira aux sports d'hiver, tu me diras « je te donne bébé pendant le week-end, nous on va chez des amis... », et je garderai bébé parce que moi qui n'ai pas pu être mère, je serai grand-mère! Je te ferai une dot de mots, je te ferai asseoir sur les marches à l'école du lézard et de l'escargot.

Je t'apprendrai le vin.

Et je te mènerai jusqu'au bout du chemin, c'est-à-dire jusqu'à l'homme qui t'aimera.

Quelle explosion de joie après l'agonie de l'attente! Turcla et Glinglin s'étaient rendus à Londres pour soutenir Jean qui n'en pouvait plus de décalages horaires et d'émotions après son succès. On a pleuré, on a ri, on a bafouillé, une vraie conversation de débiles. Mes bien-aimés...

J'ai appelé Karl. Il savait déjà.

– Kätzchen... c'est tout ce qu'il a pu dire avant de me passer Souveraine et Jules qui étaient venus « attendre » avec lui.

Attendre. Que faisons-nous d'autre sur cette terre? Attendre...

Heureux lorsque tissés les uns aux autres par la volonté de Dieu, nous pouvons...

C'est toi qui dis ça, Gabrielle? La marque de la croix serait-elle restée? Je me répondrai plus tard, j'ai le temps, et si nul ne peut me sauver de Dieu, une enfant saura peut-être m'y conduire.

Voile blanche de la victoire, le bateau de Théodore approchait du port, alors j'ai voulu être belle pour ma fille.

Le temps de la manœuvre me permit de redevenir l'Esprit Fidèle et de venir me poser, en robe safran, sur le bord de la terrasse.

Myrîam tentait d'entraîner le petit garçon et ses parents le long du chemin des arbres de Judée et des figuiers. Ils avaient l'air indécis, j'ai fait un grand geste pour leur dire de venir et je les ai regardés monter.

Une famille. Une jeune femme en short, longues jambes bronzées, cheveux courts, charmante. Son mari, coup de soleil considérable, lunettes, sympa. Comme le garçon qui porte avec Myrîam un panier rempli de poissons.

— Le monsieur et la dame osaient pas venir, mais je les ai obligés! crie Myrîam.

— Et c'est très difficile de lui résister! dit la jeune femme en approchant.

J'aurais voulu courir au-devant de Myrîam, la prendre dans mes bras, lui dire que *toujours* c'était vrai!

Mais je suis restée calme, Myrîam est une petite fille normale, dans une vie normale, je suis restée calme et j'ai même proposé à ses compagnons de dîner avec nous.

— Oh! oui!!! a-t-elle répondu pour eux.

Les enfants sont montés avec des cruches jusqu'à la source des dieux, les grandes personnes ont fait griller le poisson en regardant le paysage absolument insupportable de beauté, comme si, jaloux de ma joie, il voulait rivaliser avec elle.

— Le monsieur est docteur de microbes! me dit Myrîam en revenant. Bio... lo... comment vous dites, déjà?

Ils se mirent à rire tous les trois et le biologiste lui demanda :

— Mais comment va-t-on pouvoir vivre sans toi, Myrîam?

— On va se revoir! dit-elle. On va zéchanger nos adresses!

Myrîam est une fête.

— Elle n'a que sept ans, c'est incroyable ce qu'elle sait de choses! Quand elle parle grec avec Théodore on croirait qu'elle est née dans l'île!

J'étais fière comme si je l'avais faite.

J'ouvris une bouteille de château-Nogarède. Ils étaient amateurs. La cave, dans le roc, donnait des résultats étonnants. Myrîam se pencha vers moi :

— Est-ce que les enfants peuvent boire du vin, maman?

J'ai dit oui.

Maman a dit oui.

Comme si c'était une phrase de tous les jours. Comme si ce mot – maman –, ce mot que j'avais si peu dit et jamais entendu, était un mot tout à fait banal. Ordinaire.

J'ai regardé Myrîam tremper ses lèvres dans le vin de ses vignes, elle a dit :

– C'est fort! C'est bon!

Puis elle a trinqué avec son copain du lycée Condorcet.

Nos invités, cuits de soleil et de fatigue, sont partis assez tôt. Nous avons rangé toutes les deux, jeté les détritus aux poissons dans le gouffre, et, avant de se coucher, elle m'a dit :

– Une journée super!

Oui. Super. Un jour, je te raconterai la mienne.

Je suis allée sur la terrasse et j'ai regardé la nuit. Au bout d'un moment, elle a dit :

– Maman...

Et j'ai dit :

– Oui, chérie?

– Tu peux venir?

Je suis venue.

– Tu vas bien?

J'ai dit oui. C'était vrai.

– Viens plus près....

Je me suis assise sur son lit, elle a noué ses petits bras autour de mon cou et elle a dit :

– On s'aimera plus que toujours...

Alors, toute la tendresse et la volupté de la création m'ont entourée et vous avez été là, près de moi, tandis que je la regardais s'endormir.

Dans la masse sombre des maisons, une lampe vient de s'allumer. C'est Clytemnestre. Elle est toujours la première levée dans l'île. Avant les pêcheurs... Bientôt le piétinement sourd des diablesses retentira sur les dalles du chemin des figuiers et des arbres de Judée.

Phos, petite île favorable à l'élevage des chèvres, Phos, mon île, merci.

Pour cette paix.

Ce doit être ça, le bonheur? quelle cicatrice...

Bruit ténu...

Bruit d'avant la lumière...

Tintement, froissement, mise au monde du jour...

2456

Impression Brodard et Taupin
à La Flèche (Sarthe) le 5 octobre 1988
1449A-5 Dépôt légal octobre 1988
ISBN 2-277-22456-1
Imprimé en France
Editions J'ai lu
27, rue Cassette, 75006 Paris
diffusion France et étranger : Flammarion

noo.89